Storia dei vescovi napoletani (I secolo – 876) Gesta Episcoporum Neapolitanorum

Edizione e traduzione a cura di
Luigi Andrea Berto

PISA
UNIVERSITY
PRESS

Storia dei vescovi napoletani (I secolo-876) = Gesta episcoporum neapolitanorum / edizione e traduzione a cura di Luigi Andrea Berto. – Pisa : Pisa University Press, 2018. - (Fonti tradotte per la storia dell'Alto Medioevo)

945.7301 (23.)
I. Berto, Luigi Andrea 1. Napoli – Sec. 2.-8.

CIP a cura del Sistema bibliotecario dell'Università di Pisa

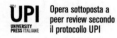 Opera sottoposta a peer review secondo il protocollo UPI

© Copyright 2018 by Pisa University Press srl
Società con socio unico Università di Pisa
Capitale Sociale Euro 20.000,00 i.v. - Partita IVA 02047370503
Sede legale: Lungarno Pacinotti 43/44 - 56126, Pisa
Tel. + 39 050 2212056 Fax + 39 050 2212945
e-mail: press@unipi.it
www.pisauniversitypress.it

Redazione e impaginazione
Ellissi

ISBN 978-88-3339-014-7

INDICE

PARTE I

INTRODUZIONE*

1. Napoli nell'ottavo e nono secolo

La storia di Napoli si differenziò nettamente da quella delle regioni centrali e settentrionali dell'Italia bizantina in occasione della promulgazione nel 726 del decreto contro il culto delle immagini dell'imperatore Leone III (717-741). I Napoletani infatti non seguirono l'esempio delle truppe della parte settentrionale dell'Italia bizantina, che si erano immediatamente ribellate e avevano ucciso il governatore di quell'area[1]. La fedeltà dei Partenopei all'impero fu tale che il patrizio, inviato a sostituire l'ufficiale imperiale assassinato, decise di sbarcare proprio a Napoli[2]. L'esigenza di avere l'aiuto militare di Bisanzio, necessario a contenere l'espansionismo dei Longobardi, fece sì che i Napoletani continuassero ad appoggiare la politica religiosa degli imperatori bizantini. Nel 762/763, in un momento di grande tensione tra il papato e Costantinopoli, i governanti di Napoli proibirono al loro vescovo, Paolo II, di tornare in città, perché questi si era recato a Roma per essere consacrato dal pontefice[3]. Al prelato fu però permesso di dimorare nella chiesa di san Gennaro situata poco fuori le mura di Napoli, dove egli aveva svolto alcune delle sue mansioni, e di rientrare in città dopo due anni. Si era quindi trattato con ogni probabilità di un provvedimento di facciata, mirante a soddisfare le autorità imperiali[4].

La fedeltà dei Napoletani all'impero non fu pertanto mai posta in dubbio, ma si suppone che, in un periodo in cui i Bizantini erano duramente impegnati contro i musulmani, i governanti partenopei fossero riusciti ad agire in modo abbastanza autonomo. Una prova di tale autonomia pare essere rappresentata dall'atteggiamento del duca Stefano, che non si rese indipendente da Costantinopoli, ma cercò di instaurare una propria dinastia e allo stesso tempo di controllare la Chiesa napoletana.

---

* Dato che la prima parte dei *Gesta episcoporum Neapolitanorum* è costituita da brevi notizie riguardanti i presuli napoletani e da brani tratti alla lettera da vari testi, soprattutto dalle biografie dei papi e dalle opere di Beda e di Paolo Diacono, di questa sezione sono state prese in considerazione soltanto le parti originali e quelle riguardanti Napoli. Questa introduzione ha lo scopo di presentare la seconda parte di quest'opera che è molto più ricca di informazioni.

[1] Brown, *Byzantine Italy, c. 680 - c. 876*, p. 325.
[2] Cassandro, *Il ducato bizantino*, p. 39; Luzzati Laganà, *Il ducato di Napoli*, p. 331.
[3] Cassandro, *Il ducato bizantino*, pp. 40-41; Bertolini, *La Chiesa di Napoli durante la crisi iconoclasta*; Luzzati Laganà, *Tentazioni iconoclaste a Napoli*; Von Falkenhausen, *La Campania tra Goti e Bizantini*, p. 21.
[4] Cassandro, *Il ducato bizantino*, p. 41; Luzzati Laganà, *Il ducato di Napoli*, p. 331; Martin, *Hellénisme politique*, pp. 63-64.

Alla morte del vescovo Paolo II nel 766, Stefano diventò infatti presule di Napoli, mentre suo figlio Gregorio lo sostituì alla guida del ducato. Dopo la scomparsa di quest'ultimo nel 794, il vescovo assunse di nuovo il governo della città per sei mesi per poi passarlo a suo genero Teofilatto (794-801). Stefano aveva probabilmente continuato ad avere una notevole influenza sulla vita politica partenopea e forse suo figlio e suo genero erano considerati di fatto suoi coreggenti[5]. Nel frattempo, la pressione esercitata sul principato di Benevento da parte dei Franchi, che desideravano completare la conquista del regno longobardo, indusse il principe di Benevento, Arechi II, a stipulare nel 780 un trattato di pace, il quale aveva posto fine alle periodiche scorrerie dei Longobardi nel ducato di Napoli[6]. Morto Stefano II, il duca Teofilatto e la moglie di questi, Euprassia, imposero un loro candidato, Paolo, che era addirittura un semplice laico, ponendo così ulteriormente in evidenza il controllo dei duchi partenopei sulla carica vescovile[7].

Non sappiamo se il progetto di Stefano di creare una dinastia si fosse realizzato; del successore di Teofilatto si conosce infatti soltanto il nome, Antimo[8]. Durante il suo governo si riaccese il conflitto con i Longobardi di Benevento. In tale occasione la responsabilità degli scontri fu dei Napoletani, che avevano dato rifugio al beneventano Dauferio, il quale aveva tentato di eliminare il principe di Benevento, Grimoaldo IV. I Partenopei gli fornirono anche un esercito, che era stato sconfitto[9].

Scomparso Antimo nell'818, i Napoletani non riuscirono a trovare un accordo sulla nomina del suo successore e, secondo il cronista Giovanni Diacono, essi preferirono essere governati da uno straniero. Alcuni ambasciatori furono mandati in Sicilia[10], da dove tornarono con un certo Teoctisto, il quale fu posto a capo della città. L'autore partenopeo aggiunse che Teoctisto fu poi sostituito da un ufficiale bizantino, il protospatario Teodoro. Più che come un ritorno al periodo in cui erano le autorità imperiali a scegliere i governanti di Napoli, tali eventi sono da interpretare come il risultato del desiderio del comandante bizantino della Sicilia – forse sollecitato dagli stessi Partenopei – di evitare che, in un'area strategicamente importante come la città campana, continuasse a regnare il disordine[11]. In ogni caso la rinnovata soggezione agli imperiali non durò molto; i Napoletani ritrovarono infatti un accordo, scacciarono Teodoro ed elessero duca Stefano, nipote del vescovo Stefano II.

Nel frattempo, i Beneventani, non più minacciati dai Franchi, ripresero le ostilità contro i Partenopei e, guidati dal principe Sicone (817-832), conquistarono alcune località appartenenti al ducato e assediarono Napoli. La città non cadde, ma i Longobardi riu-

[5]   Cassandro, *Il ducato bizantino*, pp. 41-43; Luzzati Laganà, *Il ducato di Napoli*, pp. 332-333; Russo Mailler, *Il ducato di Napoli*, pp. 359-360.
[6]   Cassandro, *Il ducato bizantino*, pp. 41-43; Russo Mailler, *Il ducato di Napoli*, pp. 360-361.
[7]   Cassandro, *Il ducato bizantino*, p. 50.
[8]   Come sottolinea giustamente G. Cassandro, il fatto che Antimo fosse figlio o parente di Teofilatto, ipotesi sostenuta da M. Schipa, non è confermato da alcuna fonte. Cassandro, *Il ducato bizantino*, p. 50.
[9]   Cassandro, *Il ducato bizantino*, p. 54; Russo Mailler, *Il ducato di Napoli*, p. 362; Gasparri, *Il ducato e il principato di Benevento*, p. 114.
[10]   In quel periodo l'isola era ancora sotto il dominio di Costantinopoli.
[11]   Cassandro, *Il ducato bizantino*, p. 52.

scirono a trafugare le spoglie di san Gennaro[12] e a ottenere il pagamento di un tributo[13]. Questo stato di tensione con i Longobardi fu invece fatale al duca Stefano II, il quale fu assassinato nell'832 da alcuni Napoletani corrotti dal principe di Benevento, Sicone[14]. Uno dei congiurati, Bono, dopo essersi liberato dei complici, si appropriò della carica ducale[15] e, spinto probabilmente dalla necessità di rafforzare la propria posizione, tentò di impadronirsi dei beni della Chiesa partenopea. A tale tentativo si oppose però il vescovo Tiberio, il quale fu imprigionato dal duca e sostituito con il diacono Giovanni. Questa situazione perdurò anche durante il governo del figlio di Bono, Leone, e del suocero di questi, Andrea, e terminò soltanto con la morte di Tiberio (841/842)[16].

Il principe Sicone morì nell'832, ma la sua politica espansionistica fu continuata dal figlio Sicardo (832-839), il quale, imitando suo padre, si impadronì di alcune reliquie appartenenti ai Napoletani. Per fronteggiare i Longobardi, il duca di Napoli, Andrea, ricorse allora all'aiuto dei musulmani[17], i quali in quel periodo avevano cominciato a conquistare la Sicilia, creando così un pericoloso precedente, che avrà pesanti conseguenze per la storia dell'Italia meridionale altomedievale. La decisione di Andrea si rivelò tuttavia appropriata, perché Sicardo chiese immediatamente di stabilire una tregua con i Partenopei[18]. Partiti i Saraceni, i Longobardi tornarono nuovamente ad assalire i Napoletani, che questa volta decisero di rivolgersi ai Franchi[19]. L'assassinio del principe di Benevento e il successivo scoppio della guerra civile tra i Longobardi posero fine alle ostilità, rendendo così non necessaria la presenza degli Oltralpini nella città campana. Il duca napoletano decise tuttavia di trattenere presso di sé il comandante dei Franchi, Contardo, offrendogli in moglie la propria figlia. Andrea forse volle avere il Franco al suo fianco perché, avendo deposto suo genero, si sentiva insicuro a causa della spregiudicatezza con cui aveva acquisito il potere[20]. Egli aveva però sottovalutato il desiderio di Contardo di crearsi una propria dominazione. Temendo che il governante partenopeo non volesse mantenere la sua promessa, il Franco infatti assassinò Andrea e ne sposò la figlia, ma il suo progetto non si realizzò, perché i Napoletani insorsero e lo uccisero insieme a sua moglie e a tutti i suoi uomini[21].

I Partenopei quindi scelsero come loro governante Sergio, il quale iniziò una dinastia che governò Napoli fino alla conquista della città da parte dei Normanni nel

---

[12] Il furto delle reliquie è ricordato soltanto dalle fonti longobarde: l'epitaffio di Sicone e il *Chronicon Salernitanum*, una cronaca anonima composta verso il 970. *Epitaphium Siconis Principis*, p. 651, vv. 49-50; *Chronicon Salernitanum*, c. 57 (traduzione italiana: Anonimo Salernitano, *Chronicon*). Secondo Thomas Granier, si era trattato di una clausola del trattato tra Longobardi e Napoletani, ma ritengo che l'ipotesi del furto attuato con la forza sia la più probabile. Granier, *Napolitains et Lombards*, p. 436.

[13] Cassandro, *Il ducato bizantino*, pp. 54-56; Russo Mailler, *Il ducato di Napoli*, p. 362; Gasparri, *Il ducato e il principato di Benevento*, p. 115; Vitolo, *Città e coscienza cittadina*, p. 13; Vuolo, *Agiografia beneventana*, pp. 220 sgg.

[14] Russo Mailler, *Il ducato di Napoli*, p. 362.

[15] Cassandro, *Il ducato bizantino*, p. 56; Russo Mailler, *Il ducato di Napoli*, p. 362.

[16] Cassandro, *Il ducato bizantino*, p. 56; Cammarosano, *Nobili e re*, p. 170.

[17] Cassandro, *Il ducato bizantino*, p. 58; Musca, *L'emirato di Bari*, pp. 16-17; Russo Mailler, *Il ducato di Napoli*, p. 363.

[18] Cassandro, *Il ducato bizantino*, p. 58; Russo Mailler, *Il ducato di Napoli*, p. 363.

[19] Cassandro, *Il ducato bizantino*, pp. 64-65; Russo Mailler, *Il ducato di Napoli*, p. 364.

[20] Cassandro, *Il ducato bizantino*, p. 65.

[21] Cassandro, *Il ducato bizantino*, pp. 65-66; Russo Mailler, *Il ducato di Napoli*, p. 364.

1139[22]. Tra i principali fattori che permisero al nuovo duca di consolidare il proprio potere e di trasmetterlo poi a suo figlio Gregorio[23] ci furono il probabile desiderio dei Napoletani di non rivivere più il periodo di disordini, che aveva caratterizzato gli anni Trenta del nono secolo, la fine dei tentativi di conquista da parte dei Longobardi[24] e il fatto che Sergio avesse potuto reggere il ducato per un lungo periodo (840-864). Importanti furono pure i rapporti amichevoli instaurati da Sergio con i sovrani franchi, Lotario e Ludovico II, ai quali egli fornì aiuto militare nella lotta contro i musulmani. In questo modo il duca riuscì ad avere un valido aiuto per fronteggiare i Saraceni, che avevano cominciato a colpire duramente la Campania e a essere considerato dai Franchi un alleato fidato[25].

Rilevante per la pace interna del ducato fu anche la soluzione del problema del vescovo Tiberio sostituito, come si è già sottolineato, dal duca Bono con Giovanni. Tiberio morì nell'841 e Giovanni poté mantenere la sua carica, dopo che una commissione pontificia aveva stabilito che egli non aveva usurpato la cattedra vescovile. Alla morte di questi nell'849, il duca riuscì senza difficoltà a far sì che suo figlio Atanasio, ventunenne e diacono da poco più di un anno, fosse eletto vescovo di Napoli, assicurandosi così un efficace controllo sulla Chiesa partenopea[26].

Sergio non si limitò tuttavia soltanto a rafforzare il suo potere a Napoli, ma cercò di approfittare delle divisioni dei Longobardi per sottrarre loro alcuni territori. Egli agì sia militarmente sia imparentandosi con loro. In un primo momento il duca si appoggiò ai Capuani per indebolire il principato di Salerno. Una sua figlia sposò il figlio del conte di Capua ed egli fornì inoltre ospitalità a oppositori del principe di Salerno. Nel momento in cui fu Capua a diventare troppo potente e quindi a costituire un pericolo, non esitò ad accordarsi con i Salernitani, suoi precedenti avversari. La decisione di scontrarsi in campo aperto con i Capuani si rivelò però fatale, perché nell'859 i Napoletani subirono una pesantissima sconfitta; tra i prigionieri catturati dai Capuani ci fu anche il figlio di Sergio, Cesario. La disfatta dovette rappresentare un durissimo colpo per i Partenopei, che non furono più in grado di agire contro i Longobardi[27]. Essa probabilmente influì pure sulla condotta di Gregorio, succeduto al padre Sergio nell'864, che decise di seguire una politica di non intervento nelle complesse relazioni tra i Longobardi dell'Italia meridionale e Ludovico II. Con quest'ultimo aveva invece stretto rapporti amichevoli il vescovo Atanasio, il quale forse desiderava che Napoli si schierasse apertamente a favore dell'imperatore[28]. Il diverso modo d'interpretare la politica nei riguardi dei Franchi si manifestò chiaramente con Sergio II, succeduto al padre Gregorio nell'870. Il nuovo duca infatti imprigionò immediatamente suo zio Atanasio e decise poi di stabilire

---

[22] Cassandro, *Il ducato bizantino*, pp. 66-68; Russo Mailler, *Il ducato di Napoli*, p. 364.

[23] Sergio lo nominò suo coreggente poco prima di morire.

[24] I Longobardi dell'Italia meridionale furono gravemente indeboliti dalla guerra civile, dalla successiva divisione in due parti del principato di Benevento e dalla costituzione di una contea di Capua indipendente.

[25] Cassandro, *Il ducato bizantino*, pp. 68 sgg.; Russo Mailler, *Il ducato di Napoli*, pp. 365-366.

[26] Cassandro, *Il ducato bizantino*, pp. 68-69; Bertolini, *Atanasio, santo*, p. 508.

[27] Cilento, *Le origini della signoria di Capua*, pp. 101-103; Cassandro, *Il ducato bizantino*, pp. 78-80; Russo Mailler, *Il ducato di Napoli*, pp. 366-367.

[28] Cassandro, *Il ducato bizantino*, pp. 82-84.

accordi con i musulmani, che permisero a Napoli di non essere colpita dalle incursioni saracene, ma che procurarono alla città la scomunica del papa[29].

2. Gli autori e le caratteristiche dell'opera

I *Gesta episcoporum Neapolitanorum*, opera priva di titolo, prologo e dedica, sono divisi in tre parti. La prima sezione è anonima, fu probabilmente composta tra la fine dell'ottavo secolo e gli inizi del successivo[30] e contiene le vite dei primi trentanove prelati napoletani, dal semileggendario Aspreno[31], che sarebbe stato consacrato vescovo da san Pietro[32], a Calvo († 762/763)[33]. La scarsità di informazioni a disposizione del suo autore ha fatto sì che essa sia la meno originale delle tre parti. Per numerosi vescovi viene riportato soltanto per quanti anni essi rimasero in carica[34] e solamente in alcuni casi si riferiscono in modo molto sintetico le loro doti, dove furono sepolti e quali edifici religiosi furono costruiti durante il loro vescovado. Non si menziona alcun dato biografico sui prelati, neppure per quelli dell'ottavo secolo, e soltanto per Sergio (717-746) si narra un aneddoto in cui si spiega perché il duca di Napoli aveva deciso di farlo diventare vescovo[35]. Pressoché assoluta è l'assenza di avvenimenti riguardanti la storia napoletana di quel periodo. L'unica eccezione è costituita dalla menzione di un'epidemia che aveva mietuto numerose vittime nella città partenopea agli inizi dell'ottavo secolo[36], ma occorre rilevare che la maggior parte di questa descrizione è copiata alla lettera dalla *Storia dei Longobardi* di Paolo Diacono (720/730 – c. 799) in cui lo storico longobardo spiega quali erano stati gli effetti provocati dalla peste che aveva colpito la provincia della Liguria nel sesto secolo[37]. La presenza di brani tratti da altri testi non rappresenta certo una rarità. L'anonimo autore ne fece anzi un così ampio uso che essi coprono più della metà della prima sezione dei *Gesta*. Essi riguardano essenzialmente i papi e gli imperatori coevi ai vescovi napoletani e hanno la funzione di fornire una cornice cronologica alle scarne informazioni sui prelati partenopei. I principali sono il *Liber pontificalis*, ossia la raccolta delle vite dei pontefici romani, *Le sei età del mondo* dell'anglosassone Beda (672/673 – 735) e la *Storia dei Longobardi* di Paolo Diacono.

La seconda parte dei *Gesta episcoporum Neapolitanorum* rappresenta chiaramente il proseguimento della prima, poiché riporta le vite dei vescovi di Napoli fino ad Atanasio

---

[29] Bertolini, *Atanasio, santo*, pp. 508-509; Cassandro, *Il ducato bizantino*, pp. 84 sgg.; Russo Mailler, *Il ducato di Napoli*, p. 367-368; Kreutz, *Before the Normans*, p. 73.

[30] Su questo manoscritto, vedi l'appendice.

[31] *Gesta episcoporum Neapolitanorum*, c. 2.

[32] Fuscono, *Aspreno*, coll. 507-511; Ambrasi, *Il cristianesimo e la Chiesa napoletana dei primi secoli*, pp. 652-657; Fiaccadori, *Il Cristianesimo. Dalle origini alle invasioni barbariche*, pp. 145-146; Galdi, *Scritture agiografiche*, pp. 91-92.

[33] *Gesta episcoporum Neapolitanorum*, c. 39.

[34] Questo tipo di informazione non è presente per i primi undici prelati.

[35] *Gesta episcoporum Neapolitanorum*, c. 36.

[36] *Gesta episcoporum Neapolitanorum*, c. 35.

[37] Pauli Diaconi *Historia Langobardorum*, II, 4.

(849-872), cominciando da Paolo II[38], successore di Calvo († 762/763), il prelato con cui termina la prima sezione. L'autore talvolta parla in prima persona, ma non riferisce nulla a proposito di se stesso, neppure il proprio nome. Una sua osservazione sembra tuttavia alludere al fatto che egli fosse abbastanza giovane[39].

La seconda sezione dei *Gesta episcoporum Neapolitanorum* è però attribuita a un diacono chiamato Giovanni, perché, dopo la menzione della morte del vescovo Atanasio, il racconto si arresta e nell'unico codice medievale di quest'opera compare una sorta di appunto, scritto da una mano diversa, in cui si afferma «fino a qui ha scritto il diacono Giovanni. Il suddiacono della sede napoletana Pietro ha composto le cose che seguono»[40]. Il diacono Giovanni menzionato in questa nota è tradizionalmente identificato in un diacono della chiesa di san Gennaro di Napoli, autore di testi agiografici e traduttore dal greco in latino di alcune vite di santi[41]. Secondo D. Mallardo, il brano della *Translatio sancti Sosii* in cui l'agiografo Giovanni riferisce che l'abate di San Severino aveva chiesto al vescovo di Napoli il permesso per effettuare la traslazione del corpo di san Sossio non deve essere letto *quia non fore canonicum aestimavit, absque pontificali licentia, cuius et iuris erat, illuc transmittere, per **auxilium** Domini sacerdotem, meae indolis praeceptorem, supplicando direxit domino Stephano episcopo, quatinus, si divina largitate donatus munere tanto tamque praeclaro fuisset, permissu eius in suo monasterio collocaretur*[42], ma *quia non fore canonicum aestimavit, absque pontificali licentia, cuius et iuris erat, illuc transmittere, per **Auxilium**, Domini sacerdotem, meae indolis praeceptorem, supplicando direxit domino Stephano episcopo...* Questo *Auxilius* sarebbe Ausilio, un sacerdote ordinato da papa Formoso (891-896), che aveva dimorato a Napoli dopo la morte di quel pontefice. Per questo motivo, se questi era stato precettore del diacono Giovanni, egli doveva esserlo stato poco dopo l'896. In tale data Giovanni doveva essere perciò stato ancora abbastanza giovane se aveva avuto bisogno di un maestro e dunque Mallardo riteneva che l'autore fosse nato verso l'880[43]. In base a tale

---

[38]   In ordine cronologico i vescovi sono: Paolo II, Stefano II, Paolo III, Tiberio, Giovanni IV e Atanasio. La lista dei vescovi menzionati nei *Gesta* si trova in Appendice, I.

[39]   *Gesta episcoporum Neapolitanorum*, c. 56.

[40]   *Gesta episcoporum Neapolitanorum*, c. 65.

[41]   Una panoramica su questo autore si trova in D'Angelo, *Iohannes Neapolitanus Diac.*, pp. 367-372.

[42]   *Translatio sancti Sosii*, c. 24.

[43]   Mallardo, *Giovanni Diacono napoletano. I. La vita*, pp. 317-320. D. Mallardo era talmente sicuro della sua ipotesi da dedicare la prima parte del proprio saggio sui *Gesta* ai motivi, che avrebbero indotto Giovanni Diacono a non scrivere la biografia del vescovo-duca Atanasio II (876-898). Mallardo, *Giovanni Diacono napoletano. La continuazione del «Liber Pontificalis»*, pp. 325 sgg. Queste osservazioni erano state già formulate da Fedele Savio, il quale non aveva però ipotizzato alcuna data di nascita per l'autore dei *Gesta*. Savio, *Giovanni Diacono, biografo dei vescovi napoletani*, pp. 311 sgg. Con l'identificazione del diacono Giovanni cronista nel diacono Giovanni agiografo concordano tutti coloro che si sono occupati di questo autore dopo Mallardo. Cilento, *La cultura e gli inizi dello studio*, pp. 576 sgg.; Fuiano, *Libri, scrittorii e biblioteche*, pp. 38-39; Fuiano, *Spiritualità e cultura a Napoli*, pp. 38-41; Dolbeau, *La vie latine de saint Euthyme*, pp. 315-335; Berschin, *Biographie und Epochenstil*, p. 159; Oldoni, *La cultura latina*, p. 321; Berto, *Giovanni Diacono*, pp. 7-8; D'Angelo, *Iohannes Neapolitanus Diac.*, p. 368. Questi studiosi però non discutono l'ipotesi di Savio e Mallardo sulla data di nascita di Giovanni Diacono.

[44]   T. Granier e P. Skinner, che non conoscono gli studi di Savio e Mallardo, hanno sostenuto che Giovanni Diacono scrisse la sua opera negli anni Ottanta-Novanta del IX secolo. Granier, *Le peuple devant les saints*, p. 57, e Granier, *Napolitains et Lombards*, p. 403; Skinner, *Women in Medieval Italian Society*, p. 78. Granier è successivamente venuto a conoscenza del lavoro di Mallardo e ha aderito alla tesi di questo studioso, ipotizzando che la decisione di fermarsi ad Atanasio sarebbe stata ordinata a Giovanni Diacono dal vescovo Stefano III (898 - c. 907). Granier, *La difficile genèse*, pp. 276 e 280.

supposizione Giovanni Diacono non sarebbe quindi stato coevo a nessuno degli avvenimenti descritti nei *Gesta*.

Si tratta tuttavia di un'ipotesi fondata su una catena di supposizioni poco solide. La tesi principale è che l'autore dei *Gesta* e l'agiografo siano la stessa persona. Essa è stata però formulata soltanto in base al fatto che questi due personaggi hanno lo stesso nome ed erano entrambi diaconi. Contro tale identificazione si può innanzitutto muovere l'obiezione che, a Napoli, nell'alto Medioevo, Giovanni era un nome molto comune[44]. Si rileva inoltre che nella *Translatio Sancti Sosii*, testo composto, come si è già sottolineato, da un diacono Giovanni agli inizi del decimo secolo, si menziona il trafugamento dei corpi dei santi perpetrato dal principe di Benevento, Sicardo, durante un assalto contro Napoli[45], mentre nei *Gesta* questo dettaglio non è riportato[46]. L'eventualità che Giovanni Diacono non fosse venuto a conoscenza di tale evento, quando scrisse i *Gesta* mi pare poco probabile. Improbabile mi sembra anche la supposizione che egli avesse deliberatamente omesso questo episodio perché riteneva poco edificante ricordare che i Napoletani non erano riusciti a proteggere le reliquie dei loro santi. Come si è già osservato, sottolineare che i Longobardi si erano macchiati di una colpa così grave avrebbe infatti permesso all'autore di attribuire un grave crimine ai tradizionali avversari dei Partenopei[47]. Sarebbe inoltre difficile spiegare perché il diacono Giovanni avrebbe deciso di narrare quell'episodio soltanto nella *Translatio sancti Sosii*. Per questi motivi ritengo che non si possa essere sicuri dell'identità dell'autore della seconda parte dei *Gesta* e della data di composizione di questo testo[48].

Il cronista non definisce mai in alcun modo la propria opera e non riferisce nulla a proposito delle sue fonti. I numerosi dettagli che fornisce sulle attività dei vescovi e l'affermazione che egli intendeva raccontare solamente gli avvenimenti più importanti[49] inducono tuttavia a ipotizzare che egli avesse avuto a disposizione sia fonti orali che scritte e che avesse operato una cernita di esse.

---

[45] Pur citando in bibliografia lo studio di Mallardo, V. Lucherini ritiene che questa parte fosse stata scritta tra la morte di Atanasio (872) e la traslazione delle spoglie di questo vescovo da Montecassino a Napoli (877), perché questo episodio non è ricordato nei *Gesta*, particolarità che non mi pare assolutamente probante per determinare il periodo di composizione di quest'opera. Lucherini, *La cattedrale di Napoli*, p. 89. Basata su nessuna fonte è la tesi di chi sostiene che fosse stato il vescovo Atanasio II a incoraggiare Giovanni Diacono a scrivere la seconda parte dei *Gesta*. Bertolini, *Atanasio*, p. 518.

[44] Ad esempio, tra l'VIII e il X secolo si contano tre duchi di Napoli con questo nome. Nella stessa continuazione ci sono due Giovanni, un diacono e un vescovo. *Gesta episcoporum Neapolitanorum*, cc. 42 e 56. Nella prima parte dei *Gesta* ci sono tre prelati con questo nome, particolare che rende Giovanni l'antroponimo più comune tra i vescovi menzionati in questo testo. *Gesta episcoporum Neapolitanorum*, cc. 6, 16 e 25. Giovanni è inoltre uno dei nomi più diffusi anche nei documenti d'archivio napoletani. Villani, *L'antroponimia nelle carte napoletane*, pp. 345-359.

[45] *Translatio Sancti Sosii*, c. 25.

[46] *Gesta episcoporum Neapolitanorum*, c. 57. Nei *Gesta* non sono neppure riferiti i furti di reliquie compiuti da Sicone, padre di Sicardo. Questi trafugamenti sono invece raccontati dai cronisti longobardi. Erchemperti *Ystoriola Longobardorum Beneventum degentium*, c. 10, e *Chronicon Salernitanum*, cc. 57 e 63-64.

[47] Ad esempio, il biografo di papa Stefano II non manca di raccontare che il re dei Longobardi, Astolfo, aveva trafugato varie reliquie nel corso di un raid contro Roma. *Liber pontificalis*, I, pp. 451-452.

[48] Poiché il manoscritto che riporta quest'opera non è autografo e risale a circa la metà del decimo secolo si può soltanto affermare che questo testo fu scritto tra la fine del nono secolo e la prima parte di quello successivo.

[49] Vedi, ad esempio, *Gesta episcoporum Neapolitanorum*, cc. 42, 56.

Il filo conduttore dei *Gesta* di Giovanni Diacono è rappresentato dalle vite dei presuli di Napoli, ma si riscontra pure la presenza di alcune notizie su quasi tutti i duchi napoletani, che avevano governato la città tra la fine dell'ottavo secolo e l'872[50]. L'autore inoltre racconta alcuni episodi di storia bizantina e si dimostra informato su alcuni tra i maggiori avvenimenti accaduti in Italia[51].

Vari sono i riferimenti cronologici, che nella maggior parte dei casi riguardano la vita dei presuli. Nella propria esposizione Giovanni Diacono segue sempre lo stesso schema. Quando inizia a riportare gli eventi concernenti un vescovo, egli riferisce per quanto tempo questi era stato in carica, riportando il numero di anni, mesi e giorni[52]. Alla morte del presule, il cronista non scrive la data secondo l'era cristiana, ma, allo stesso modo dei documenti d'archivio napoletani, riferisce l'indizione e, quasi sempre, l'anno di governo dell'imperatore bizantino, che era allora in carica[53]. La maggior parte di quest'ultimi dati è però lasciata incompleta, particolarità probabilmente dovuta al fatto che l'autore non fosse riuscito a portare a termine il proprio lavoro. Solamente nei casi di Paolo III e di Atanasio, Giovanni Diacono aggiunge il nome dei papi, che erano stati in carica durante il loro episcopato[54].

La terza sezione dei *Gesta* è, come si è già sottolineato, attribuita al suddiacono Pietro, che è stato identificato con un autore di testi agiografici, vissuto nel decimo secolo[55]; anche in questo caso non si può tuttavia essere certi dell'identificazione perché pure Pietro era un nome molto diffuso nella Napoli altomedievale[56]. Questa parte prosegue la seconda, narrando la vita del vescovo Atanasio II (876-898), successore di suo zio Atanasio, ma s'interrompe bruscamente dopo alcune righe, mentre il cronista stava riferendo che il prelato aveva consigliato di digiunare e di celebrare delle messe per fare cessare la disastrosa invasione di locuste, che aveva colpito la Campania in quel periodo[57]. È possibile che questo sia da attribuire alla perdita accidentale dell'ultima parte del manoscritto. Non è però da trascurare l'ipotesi che qualcuno avesse voluto così eliminare la biografia di un personaggio controverso, che, oltre a detenere la carica di vescovo, si era impossessato di quella ducale, dopo avere fatto accecare suo fratello, e aveva avuto rapporti amichevoli con i musulmani[58].

---

[50] L'unico duca a non essere menzionato è Gregorio (766-794), figlio del duca Stefano, che decise di diventare vescovo di Napoli.

[51] Berto, *The others and their stories*.

[52] Ad esempio, per Paolo. *Gesta episcoporum Neapolitanorum*, c. 41. Per gli altri vescovi, vedi *Gesta episcoporum Neapolitanorum*, cc. 42, 46, 52, 56 e 63.

[53] Ad esempio, *Gesta episcoporum Neapolitanorum*, c. 41. Per gli altri presuli, vedi *Gesta episcoporum Neapolitanorum*, cc. 51, 58 e 62. Nel caso di Atanasio, l'autore aveva l'intenzione di riportare l'anno di governo dell'imperatore Ludovico II, ma non menziona il dato numerico. *Gesta episcoporum Neapolitanorum*, c. 65.

[54] *Gesta episcoporum Neapolitanorum*, c. 51.

[55] In generale su questo autore, vedi Pietro Suddiacono napoletano, *L'opera agiografica*.

[56] Per un approfondimento sull'onomastica napoletana, vedi Villani, *L'antroponimia nelle carte napoletane*.

[57] *Gesta episcoporum Neapolitanorum*, c. 66.

[58] In generale su Atanasio II, vedi P. Bertolini, *Atanasio*, pp. 510-518, Cassandro, *Il ducato bizantino*, pp. 100 sgg. e Granier, *Napolitains et Lombards*, pp. 420 sgg. Le varie ipotesi sulla scomparsa di questa sezione sono sintetizzate in Granier, *La difficile genèse*, pp. 279-280.

3. I vescovi di Napoli nella seconda parte dei *Gesta episcoporum Neapolitanorum*

Così come avviene in modo più sintetico nella prima parte dei *Gesta episcoporum Neapolitanorum*, nelle biografie dei vescovi d'oltralpe e soprattutto nel *Liber pontificalis* di Ravenna e in quello di Roma[59], anche nell'opera scritta da Giovanni Diacono il tratto comune che contraddistingue la descrizione delle vite dei vescovi è il desiderio di sottolineare che ciascuno di essi aveva fatto costruire nuovi edifici religiosi o aveva ordinato il restauro di quelli in stato di decadenza e li aveva dotati di preziosi paramenti sacri[60]. L'autore tuttavia non si limita a compilare una lista di quello che avevano compiuto i vescovi. La ricostruzione di una chiesa da parte di Stefano II, ad esempio, diventa un'occasione per spiegare come l'edificio fosse stato distrutto da un incendio e per esaltare il presule, che, con l'aiuto di Dio e dei Napoletani, aveva provveduto a riedificarla immediatamente[61].

Il cronista partenopeo sottolinea anche quanto i vescovi avevano compiuto in favore della cultura. Stefano II aveva inviato a Roma tre chierici, affinché migliorassero la loro educazione; il soggiorno era stato estremamente proficuo, perché uno di loro era diventato prete cardinale, mentre un altro si era messo in evidenza per la sua erudizione[62]. Giovanni IV, la cui passione per la scrittura gli era valso il soprannome di "Scriba"[63], aveva invece composto numerosi manoscritti[64], mentre Atanasio aveva dato notevole impulso all'istruzione e aveva arricchito la biblioteca dell'episcopio con tre codici dello storico Flavio Giuseppe[65]. Il ricorrere di queste informazioni rappresenta un importante elemento per approfondire le nostre conoscenze su Giovanni Diacono, che appare particolarmente sensibile ai valori della cultura e alla loro promozione e conservazione. Occorre tuttavia tenere conto che nel IX e X secolo Napoli era stata un fiorente centro culturale[66] ed era quindi naturale che l'impegno dei presuli napoletani in questo campo fosse sottolineato con fierezza.

L'autore dà invece scarso rilievo all'impegno dei vescovi a favore del sostentamento del clero e in più in generale dei fedeli bisognosi[67]. Sembra quasi che egli volesse attribuire maggiore importanza agli atti più appariscenti dei vescovi - costruzione di edifici e dotazione di paramenti sacri -, i cui risultati erano probabilmente ancora visibili ai suoi tempi. A tale proposito, occorre tuttavia ricordare che l'impossibilità di sapere come Giovanni Diacono avesse operato sulle fonti a sua disposizione impedi-

---

[59] Sot, *Gesta episcoporum. Gesta abbatum*, p. 25.
[60] *Gesta episcoporum Neapolitanorum*, cc. 41, 42, 46, 59, 63,
[61] *Gesta episcoporum Neapolitanorum*, c. 42.
[62] *Gesta episcoporum Neapolitanorum*, c. 42.
[63] *Gesta episcoporum Neapolitanorum*, c. 56.
[64] *Gesta episcoporum Neapolitanorum*, c. 59.
[65] *Gesta episcoporum Neapolitanorum*, c. 63.
[66] In generale sulla cultura a Napoli nell'alto Medioevo, vedi Cilento, *La cultura e gli inizi dello studio*, pp. 550 sgg., Fuiano, *Spiritualità e cultura a Napoli* e Berschin, *Medioevo greco-latino*, pp. 215 sgg.
[67] Le uniche eccezioni sono in *Gesta episcoporum Neapolitanorum*, cc. 42 e 63. Deve quindi essere ridimensionata l'affermazione di N. Cilento, che, descrivendo lo schema seguito da Giovanni Diacono, ha sottolineato che il cronista napoletano aveva presentato i vescovi come benefattori dei poveri. Cilento, *La cultura e gli inizi dello studio*, pp. 577-578.

sce di determinare quale fu la ragione di questa scelta. Si rileva che in generale questa preferenza verso determinate informazioni si riscontra pure nei *Gesta episcoporum* composti oltralpe e nel *Liber pontificalis* di Ravenna e in quello di Roma. Tra le opere di genere biografico scritte nel Medioevo, l'attenzione verso un impegno maggiormente rivolto alla società si trova soprattutto nelle vite dei santi, dove esso ha sovente l'aspetto dell'intervento miracoloso. Questo tipo di manifestazioni soprannaturali non sono invece presenti nei *Gesta* di Giovanni Diacono, così come sono di solito assenti nelle biografie dei vescovi, abati e papi[68].

Gli episodi che Giovanni Diacono riporta sui presuli napoletani non riguardano solamente il periodo in cui essi erano stati vescovi, ma talvolta concernono anche eventi precedenti la loro elezione. Nel caso di Paolo II il cronista racconta che, quando questi era diacono, si era spesso recato a Roma in qualità di ambasciatore e che aveva stretto amicizia con colui che sarebbe poi diventato papa col nome di Paolo. Un giorno il Napoletano avrebbe augurato al Romano che Dio gli concedesse di diventare papa, mentre quest'ultimo gli aveva risposto che sperava di vederlo vescovo. Gli auguri di entrambi si erano avverati dopo poco tempo[69]. L'aneddoto, oltre a evidenziare il gusto per la narrazione di Giovanni Diacono, aveva probabilmente lo scopo di porre in risalto la familiarità e l'amicizia esistente tra Roma e la Chiesa di Napoli in un periodo così delicato com'era stato quello dell'iconoclastia, durante il quale i governanti partenopei si erano schierati a favore di Costantinopoli in opposizione alle decisioni prese dal papato[70]. All'amicizia tra il Paolo napoletano e quello romano è infatti subito dopo contrapposto l'atteggiamento dei concittadini del vescovo Paolo II, che gli avevano impedito di rientrare a Napoli, dopo che questi era stato consacrato vescovo a Roma, perché i Napoletani erano sudditi dell'imperatore bizantino[71]. Tale racconto, oltre a sottolineare che le relazioni tra il papato e la Chiesa di Napoli erano state ottime, ha pertanto anche la funzione di dimostrare che la responsabilità di quanto era accaduto non era in alcun modo da attribuire agli ecclesiastici partenopei. I Napoletani inoltre sono successivamente riabilitati per essersi schierati a favore dei Bizantini. Secondo il cronista, in un primo tempo al vescovo Paolo II fu permesso di risiedere nella chiesa di san Gennaro, che si trovava poco fuori della città e dove egli poté tranquillamente esercitare le sue funzioni. Tutto il clero e il *populus* infatti gli avevano obbedito senza alcuna contestazione e i Napoletani gli avevano portato i propri figli, affinché li battezzasse. Dopo due anni gli aristocratici partenopei decisero di comune accordo che la loro città non poteva

---

[68] Sot, *Arguments hagiographiques et historiographiques*, pp. 95-104; Sot, *Gesta episcoporum*, p. 18. L'analisi della *Vita di Atanasio* pare suggerire che Giovanni Diacono avesse effettivamente composto i *Gesta* in base a tutte le informazioni disponibili e non seguendo le norme su cui si basava il genere storiografico dei *Gesta episcoporum*. L'autore della biografia del vescovo Atanasio infatti riferisce che il presule aveva compiuto miracoli soltanto dopo la sua morte. Gli altri particolari concernenti la cultura di Atanasio e il suo impegno nei confronti del clero e dei poveri sono pressappoco gli stessi citati da Giovanni Diacono. Secondo l'agiografo, Atanasio si era anche impegnato nella liberazione dei prigionieri catturati dai musulmani. *Vita s. Athanasii*, cc. 8, 9 e 10.
[69] *Gesta episcoporum Neapolitanorum*, c. 41.
[70] Vedi parte dedicata alla storia di Napoli.
[71] *Gesta episcoporum Neapolitanorum*, c. 41.

rimanere priva di un così grande presule e quindi permisero a Paolo II di risiedere a Napoli[72].

Nel caso di Giovanni IV, gli avvenimenti antecedenti la sua elezione a vescovo riguardano la sua infanzia e adolescenza. Giovanni Diacono, probabilmente influenzato dal particolare che la maggior parte degli ecclesiastici apparteneva a famiglie d'alto rango, sottolinea che non si dovevano irridere le umili origini di questo prelato, poiché chi possiede la vera "nobiltà" sa che il Signore frequentava i poveri[73]. Diventato adolescente, Giovanni non si comportò come i suoi coetanei, ma dedicò tutto il suo tempo all'apprendimento delle Sacre Scritture, al punto che usciva raramente di casa. Come si è già accennato, le conoscenze così acquisite gli avevano fatto guadagnare il soprannome di "Scriba"[74]. Era inoltre obbediente e non si adirava, quando era rimproverato. Per tale motivo conquistò l'affetto di tutti i suoi concittadini e ottenne la nomina a diacono[75]. Nonostante la carica raggiunta, Giovanni IV mantenne inalterata la sua semplicità e pazienza, rammaricandosi più delle critiche rivolte agli altri che di quelle a lui indirizzate[76].

Subito dopo avere elencato tutte le doti di Giovanni IV, il cronista aggiunge che questi si era rattristato moltissimo per l'imprigionamento del vescovo Tiberio da parte del duca Bono. Quest'ultimo aveva più volte ordinato ai chierici napoletani di eleggere un vescovo e Giovanni Diacono spiega che il suo omonimo era stato l'unico a opporsi a questa decisione. Portato di fronte a Bono, Giovanni venne a sapere di essere stato destinato a prendere il posto di Tiberio. Egli però si rifiutò di obbedire, affermando che non avrebbe mai occupato il soglio episcopale, mentre il legittimo vescovo era ancora in vita. Il duca allora minacciò di uccidere Tiberio e di impossessarsi dei beni della Chiesa napoletana. Il cronista si sofferma quindi sul dissidio di Giovanni, che da una parte temeva di provocare la morte del presule e la rovina della Chiesa napoletana e dall'altra di incorrere nella scomunica del papa e nella disapprovazione dei Partenopei. Alla fine Giovanni, preferendo «il danno umano a quello divino», accettò di obbedire a Bono con la promessa che non sarebbe stato arrecato alcun male a Tiberio[77].

Degno di nota è il particolare che Giovanni Diacono riferisca che, poco prima di morire, Tiberio aveva pronunciato un discorso ai Napoletani nel quale aveva scagionato Giovanni IV da qualsiasi accusa, evidenziando la generosità da questi dimostrata nei suoi confronti ed esortando i Partenopei a non intraprendere contro di lui alcuna azione punitiva[78]. Il cronista sottolinea pure il positivo giudizio sull'operato di costui espresso da una commissione appositamente nominata dal pontefice, che aveva deciso di ratificare la sua elezione solo dopo aver appurato la realtà dei fatti. Poiché sia il clero che i laici avevano giurato che egli aveva soltanto agito in favore di Tiberio, tale com-

---

[72] *Gesta episcoporum Neapolitanorum*, c. 41.
[73] *Gesta episcoporum Neapolitanorum*, c. 56.
[74] *Gesta episcoporum Neapolitanorum*, c. 56.
[75] *Gesta episcoporum Neapolitanorum*, c. 56.
[76] *Gesta episcoporum Neapolitanorum*, c. 56.
[77] *Gesta episcoporum Neapolitanorum*, c. 56.
[78] *Gesta episcoporum Neapolitanorum*, c. 58.

missione lo riconobbe innocente e gli consentì di mantenere la sua carica[79]. Giovanni Diacono corrobora tale descrizione riportando il comportamento esemplare tenuto in diverse occasioni da Giovanni IV e riferendo con viva partecipazione dettagli che non trovano riscontro nei tratti caratteristici degli altri vescovi[80].

Dalla descrizione di Giovanni Diacono, il successore di Tiberio emerge come un personaggio integerrimo sia nel periodo antecedente che in quello successivo alla sua ordinazione a vescovo. Le caratteristiche delle notizie riguardanti la vita di Giovanni prima che diventasse presule di Napoli probabilmente dipendono dalle fonti a disposizione del cronista. Il racconto pare tuttavia essere strutturato in modo tale da allontanare qualsiasi sospetto di connivenza tra questi e il duca Bono. Tale volontà è chiaramente espressa dal particolare che venga riportato per intero il discorso di Tiberio in difesa di colui che l'aveva sostituito ed è confermata dalla maniera in cui Giovanni Diacono commenta gli ultimi anni di quest'ultimo. In poche righe si trovano infatti ben sei frasi interrogative e questa sezione è impostata come un'arringa, come se l'autore fosse una sorta di avvocato intento a difendere Giovanni IV di fronte a una giuria. Tutta la vita del presule è inoltre descritta come perfettamente improntata ai precetti evangelici. Non solo l'infanzia e l'adolescenza erano state dedicate allo studio delle Sacre Scritture, valorizzando appieno le sue doti intellettuali, ma anche qualità morali quali la solidarietà, la semplicità, la compassione e l'obbedienza, che già da giovane lo avevano contraddistinto, trovano la loro suprema manifestazione nell'iniziale rifiuto della dignità episcopale. Rilevante è pure la descrizione del dissidio interiore di Giovanni prima di accettare l'ordine di diventare vescovo, che pone ulteriormente in luce l'eccelsa statura morale di questo personaggio.

Tali particolarità potrebbero essere state dettate dal desiderio di Giovanni Diacono di porre in evidenza che sui presuli della Chiesa di Napoli non doveva gravare il benché minimo sospetto di scorrettezza. Nel caso di Giovanni IV, nessuno doveva ritenere che il vescovo avesse aderito alla politica di Bono. A tale proposito, l'autore afferma soltanto che il duca di Napoli aveva iniziato ad arrecare *multa mala* alla Chiesa di Napoli[81]. Nessun'altra fonte ci permette di stabilire in che cosa consistessero esattamente questi *mala*. L'affermazione di Giovanni Diacono che il vescovo Tiberio si era opposto a Bono, preferendo incorrere nell'ira umana piuttosto che in quella divina[82] induce tuttavia a supporre che il duca avesse voluto usurpare i beni della Chiesa partenopea o che avesse esercitato pressioni, affinché persone di sua fiducia fossero inserite in posti di prestigio della gerarchia ecclesiastica napoletana. In seguito tale aspetto non viene più toccato nell'opera di Giovanni Diacono, ma alcuni elementi sembrano sottintendere che Giovanni IV non si fosse fortemente opposto alle ingerenze di Bono e dei suoi successori. La condizione che a Tiberio non fosse arrecato alcun male, richiesta da Giovanni IV prima di accettare di diventare vescovo di Napoli[83], e la circostanza che, alla morte di

---

[79] *Gesta episcoporum Neapolitanorum*, c. 59.
[80] *Gesta episcoporum Neapolitanorum*, c. 59.
[81] *Gesta episcoporum Neapolitanorum*, c. 55.
[82] *Gesta episcoporum Neapolitanorum*, c. 55.
[83] *Gesta episcoporum Neapolitanorum*, c. 56.

Bono, Tiberio non fosse stato reintegrato e fosse stato tenuto sotto custodia sembrano alludere a una certa connivenza da parte di Giovanni IV nei confronti della politica del duca. La spiegazione dell'autore che Bono aveva scelto Giovanni per sostituire Tiberio, perché egli era stato l'unico ecclesiastico partenopeo a essersi opposto alla volontà del duca, è abbastanza inverosimile e pare essere in accordo col desiderio di ritrarre Bono come un governante perfido e ispirato dal diavolo. È invece probabile che le umili origini di Giovanni IV lo avessero reso il candidato ideale per la carica di vescovo, poiché non aveva alle spalle una famiglia potente, che lo sostenesse, e perciò egli si sarebbe difficilmente opposto alle decisioni ducali[84].

Nei *Gesta* nessun altro episodio raggiunge i livelli di drammaticità, che caratterizzano lo scontro appena considerato. Non mancano tuttavia i momenti in cui Giovanni Diacono si sente chiamato a dimostrare con chiarezza la legittimità di alcune elezioni episcopali, che, pur non avendo rispettato la consueta prassi, avevano fatto assurgere al soglio vescovile persone degne di tale carica.

Ad esempio, l'elezione a vescovo del duca Stefano è giustificata dall'emergenza causata dalla morte per peste di quasi tutti i chierici napoletani. Secondo Giovanni Diacono, la carica gli fu unanimemente offerta da tutti i Napoletani[85] e il papa, avendo scoperto quanto devoto egli fosse, lo aveva fatto tonsurare e l'aveva consacrato vescovo[86]. Tornato a Napoli, il nuovo prelato era stato istruito in ogni aspetto del suo ufficio come se fosse stato un ragazzino[87]. Anche l'osservazione che la moglie di Stefano era morta molti anni prima, quando egli era ancora duca, sembra avere lo scopo di fugare qualsiasi sospetto di irregolarità nella sua nuova vita[88]. Questi si era poi dimostrato all'altezza degli altri vescovi napoletani, arricchendo le chiese di oggetti preziosi, promuovendo una migliore formazione del clero e preoccupandosi del sostentamento degli ecclesiastici[89].

L'assenza di altre fonti con cui comparare la narrazione di Giovanni Diacono e di informazioni sui governanti di Napoli contemporanei a Stefano ci impedisce di esprimere ulteriori considerazioni su questa parte dei *Gesta*. Evidente appare comunque il desiderio da parte del cronista di rimarcare come, malgrado lievi irregolarità, la vita della Chiesa napoletana potesse essere considerata assolutamente irreprensibile. Come suggerisce Giovanni Cassandro, non c'è alcuna prova che Stefano avesse detenuto sia la carica di duca che quella di vescovo, come farà un secolo dopo Atanasio II. Inoltre, nel catalogo dei duchi partenopei dal 767 al 794 c'è il figlio di Stefano, Gregorio e dal 794 all'801 suo genero Teofilatto con un breve intermezzo di sei mesi nel 794[90],

[84]   G. Cassandro ritiene che Giovanni IV avesse parteggiato per il duca Bono. Cassandro, *Il ducato bizantino*, p. 56. Secondo V. Gleijess, Giovanni aveva fatto parte della cerchia di Bono. Gleijess, *La storia di Napoli*, p. 134. P. Cammarosano sottolinea che a un duca come Bono, salito al potere con la violenza, doveva fare «comodo un vescovo del tutto subalterno, estraneo a consorterie tradizionali di potere cittadino». Cammarosano, *Nobili e re*, p. 170.

[85]   *Gesta episcoporum Neapolitanorum*, c. 42.
[86]   *Gesta episcoporum Neapolitanorum*, c. 42.
[87]   *Gesta episcoporum Neapolitanorum*, c. 42.
[88]   *Gesta episcoporum Neapolitanorum*, c. 42.
[89]   *Gesta episcoporum Neapolitanorum*, c. 42.
[90]   *Chronicon ducum et principum Beneventi, Salerni et Capuae et ducum Neapolis*, p. 8.

quando alla morte di Gregorio aveva assunto il potere Stefano, probabilmente per assicurare il passaggio del potere a Teofilatto. Tale dato pare suggerire che la scelta di Stefano di diventare vescovo fosse stata dettata dal desiderio di far sì che il controllo del potere a Napoli rimanesse saldamente nelle mani della sua famiglia e che egli avesse continuato a esercitare una certa influenza sulla politica napoletana[91]. Giovanni Diacono, o la sua fonte, sicuramente preferì che una simile commistione tra religione e politica non fosse ricordata.

La persistenza di uno stato latente di conflittualità, dovuto al controllo della carica vescovile, è confermata dallo stesso Giovanni Diacono, che racconta che l'elezione del successore di Stefano II non era stata affatto semplice. Il duca di Napoli, Teofilatto, genero di Stefano II, non avrebbe infatti voluto fare eleggere alcun vescovo a causa della sua avarizia e per non contrariare sua moglie Euprassia, adiratasi con i chierici napoletani, perché si erano rallegrati alla notizia della morte di suo padre[92], un uomo che evidentemente aveva avuto un'indebita influenza nella sfera ecclesiastica[93]. Secondo Giovanni Diacono, tutti i Partenopei avevano poi pregato il duca e la duchessa di scegliere chiunque essi volessero, perché i Napoletani non potevano rimanere senza guida. Euprassia scelse quindi un laico vedovo di nome Paolo, che era stato tonsurato ed eletto vescovo, e nessuno osò opporsi a tale scelta. Il cronista, che aveva introdotto l'intera vicenda, scusandosi con i lettori per quello che si accingeva a raccontare e sottolineando che riteneva più utile riferire la verità[94], riporta effettivamente qualche allusione sulla situazione poco limpida esistente nel rapporto tra religione e politica – gaudio del clero per la morte di Stefano II e mancata opposizione alla decisione di eleggere un laico –, ma risolve la difficile situazione, ricorrendo a un *topos* tipico degli ecclesiastici medievali. La responsabilità di quanto accaduto è infatti addossata a una donna, la duchessa Euprassia, la quale, «accesasi di furore femmineo», si sarebbe vendicata, presentando un candidato laico[95]. Così come era avvenuto nel caso di Stefano II, Giovanni Diacono narra che il papa aveva accettato senza alcun problema di ratificare l'elezione di Paolo III e che questi aveva poi contribuito a costruire nuovi edifici religiosi e ad arricchirli con oggetti preziosi[96].

Le fonti non permettono di sapere quali rapporti intercorressero tra Paolo III e la famiglia ducale. Il cronista lo definisce *popularis*, ossia qualcuno che non apparteneva alle élites partenopee, e ciò potrebbe suggerire che egli fosse stato scelto proprio perché la sua condizione permetteva ai duchi di controllare agevolmente la carica vescovile.

---

[91]   Cassandro, *Il ducato bizantino*, pp. 42-43. Concorda con Cassandro V. Von Falkenhausen, che ritiene che Stefano fosse diventato vescovo per controllare le proprietà della Chiesa napoletana. Von Falkenhausen, *La Campania tra Goti e Bizantini*, p. 21. C. Russo Mailler invece sostiene che Stefano avesse continuato a governare Napoli e che Gregorio e Teofilatto fossero stati suoi coreggenti. Russo Mailler, *Il ducato di Napoli*, pp. 359-360.

[92]   *Gesta episcoporum Neapolitanorum*, c. 46.

[93]   Cassandro, *Il ducato bizantino*, p. 50.

[94]   *Gesta episcoporum Neapolitanorum*, c. 46.

[95]   *Gesta episcoporum Neapolitanorum*, c. 46. Per alcuni esempi di donne ritenute responsabili di situazioni incresciose, vedi Pauli Diaconi *Historia Langobardorum*, II, 28, 29, IV, 37.

[96]   *Gesta episcoporum Neapolitanorum*, cc. 46 e 50.

Qualunque sia stato il motivo di questa scelta, la sua elezione evidenzia comunque il potere decisionale che il duca aveva sulla scelta del vescovo[97].

Questa influenza appare chiara nel caso del figlio del duca Sergio, Atanasio, diventato vescovo all'età di circa ventun'anni. In tale caso egli era già un ecclesiastico e questo aveva sicuramente mitigato il probabile intervento ducale nella scelta del nuovo presule, ma la sua giovane età aveva probabilmente costituito motivo d'imbarazzo. Si può intravedere ciò nelle parole del cronista, il quale riferisce che, subito dopo essere diventato diacono, Atanasio era già venerato come se fosse un vescovo. Tale devozione viene addirittura ricondotta alla volontà di Dio, che avrebbe così indicato chi era destinato a diventare il futuro presule di Napoli[98]. Rilevante è pure la circostanza che l'autore insiste sull'affetto nutrito dal vescovo Giovanni IV per il figlio del duca[99]. Il racconto poi prosegue senza fare alcuna menzione di qualche intervento di Sergio e ponendo in evidenza che Atanasio era stato acclamato da tutto il *populus* e che poi si era recato a Roma, dove era stato «onorevolmente» accolto e consacrato[100]. Non poteva dunque sussistere alcun sospetto sull'integrità di un vescovo, che alla propria morte era stato venerato come santo, e Giovanni Diacono compì ogni sforzo per evitare qualsiasi illazione o critica.

Per quanto concerne gli altri ecclesiastici napoletani, si rileva che, a differenza dei vescovi, la condotta del clero partenopeo non è sempre presentata come esemplare, segno che Giovanni Diacono aveva ritenuto essenziale descrivere come integerrimi soltanto i pastori della Chiesa napoletana. Solo in un caso gli ecclesiastici partenopei emularono i loro vescovi. In occasione dell'arresto di Atanasio il cronista infatti riporta le parole rivolte da tutti i membri del clero napoletano al duca Sergio II, affinché egli liberasse il prelato, sottolineando così il loro impegno in favore del presule. La loro devozione fu ricompensata col rilascio di Atanasio, poiché il duca era stato messo a disagio dalla ferma reazione degli ecclesiastici[101]. Quando la duchessa Euprassia aveva imposto che fosse eletto il laico Paolo, nessuno aveva invece osato opporsi[102]. Sebbene il diacono Tiberio fosse stato eletto vescovo all'unanimità, la circostanza che molti

---

[97] Nonostante il racconto di Giovanni abbia qualche punto oscuro, mi pare che sia scorretto il modo d'interpretarlo di N. Cilento, il quale ritiene che l'elezione di «un uomo del popolo» indicherebbe il desiderio del popolo napoletano di avere voce in capitolo nell'elezione del proprio vescovo. Cilento, *La cultura e gli inizi dello studio*, p. 580. Alla luce di quanto riferisce il cronista, mi pare poco attendibile anche l'interpretazione di P. Bertolini, il quale sostiene che il dissidio fosse avvenuto tra coloro che volevano rimanere fedeli a Roma, tra i quali c'era la famiglia ducale, e quelli che invece desideravano che la Chiesa di Napoli tornasse nell'orbita bizantina. Bertolini, *La serie episcopale napoletana*, pp. 409 sgg. Non concordo neppure con P. Skinner, la quale crede che questo episodio sottolinei tensioni presenti a Napoli alla fine del nono secolo piuttosto che alla fine dell'ottavo. Skinner, *Women in Medieval Italian Society*, p. 78. Non c'è infatti alcuna prova che dimostri che quel tipo di tensioni non si fosse verificato nel 794.

[98] *Gesta episcoporum Neapolitanorum*, c. 63. Giovanni Diacono riferisce che Atanasio era diventato diacono prima che avesse vent'anni, ma non riporta a quale età egli era stato eletto vescovo. Secondo la biografia di Atanasio, egli aveva assunto tale carica un anno e tre mesi dopo avere ricevuto quella di diacono, ossia quando aveva circa ventun'anni. *Vita s. Athanasii*, c. 3.

[99] *Gesta episcoporum Neapolitanorum*, c. 63.

[100] *Gesta episcoporum Neapolitanorum*, c. 63. Nella vita del vescovo invece si racconta che anche suo padre e il fratello, duca coreggente, avevano partecipato all'elezione di Atanasio. *Vita s. Athanasii*, cc. 3, 21.

[101] *Gesta episcoporum Neapolitanorum*, c. 65.

[102] *Gesta episcoporum Neapolitanorum*, c. 46.

chierici fossero idonei a quella carica aveva provocato l'invidia di numerose persone, che avevano diffuso gravi calunnie sul conto del nuovo presule al punto che il papa aveva inviato una commissione per indagare[103]. In occasione dell'imprigionamento del vescovo Tiberio da parte del duca Bono, solamente Giovanni lo Scriba si era rifiutato di aderire al progetto del duca di eleggere un altro presule[104].

4. I duchi di Napoli

Sebbene il filo conduttore dei *Gesta* siano le biografie dei presuli napoletani, Giovanni Diacono menziona anche quasi tutti i governanti partenopei. Nella maggior parte dei casi essi sono citati in relazione a episodi in cui erano coinvolti i vescovi, ma talvolta i duchi napoletani sono ricordati indipendentemente dalla presenza dei presuli. Il cronista tuttavia non riferisce mai particolari sulle attività connesse alla loro carica.

Nel caso di Antimo l'autore narra l'impegno del duca in favore della Chiesa di Napoli, attuato tramite la costruzione di edifici religiosi e la donazione di beni destinati al loro mantenimento[105]. Questo dettaglio rimarca come Giovanni Diacono non volesse presentare i presuli come gli unici benefattori della Chiesa partenopea. Antimo rappresenta però un'eccezione, perché le altre notizie riportate dal cronista sui duchi concernono solamente l'acquisizione o la perdita della carica ducale. In questo caso gli eventi sono descritti sinteticamente, però non sono sempre riferiti in modo annalistico. Si rileva infatti il desiderio da parte dell'autore di fornire una sia pur concisa spiegazione degli eventi menzionati. Ad esempio, morto Antimo, racconta Giovanni Diacono, i Napoletani avevano chiamato a governarli un uomo proveniente dalla Sicilia, poiché a Napoli erano così tanti coloro che ambivano a diventare duca che era scoppiato un grave dissidio[106].

Nei contrasti sorti tra duchi e vescovi Giovanni Diacono pone in evidenza che la responsabilità era sempre da attribuire ai governanti di Napoli. Il cronista critica i duchi per il loro comportamento, ma non fornisce un'esauriente spiegazione di tali conflitti. Bono è accusato di avere perpetrato *multa mala* contro la Chiesa di Napoli, ottenendo così la condanna della sua anima[107] e si sottolinea la sua ostinazione di fronte ai moniti del vescovo Tiberio, il quale lo aveva avvertito che sarebbe incorso nell'ira divina,

---

[103] *Gesta episcoporum Neapolitanorum*, c. 52.
[104] *Gesta episcoporum Neapolitanorum*, c. 56.
[105] *Gesta episcoporum Neapolitanorum*, c. 50.
[106] *Gesta episcoporum Neapolitanorum*, c. 50. Giovanni Diacono racconta che l'assassinio di Stefano II fu provocato dal principe di Benevento, Sicone, il quale, non riuscendo a conquistare Napoli, aveva corrotto alcuni Partenopei. *Gesta episcoporum Neapolitanorum*, c. 53. La decisione del Franco Contardo di uccidere il duca Andrea è motivata, narrando che l'Oltralpino aveva compreso che il duca non voleva mantenere la promessa di fargli sposare sua figlia, offerta in moglie a Contardo per evitare che egli tornasse in patria. I Napoletani poi insorsero e uccisero il Franco, perché «sconvolti dalla turpissima morte del loro duca». *Gesta episcoporum Neapolitanorum*, c. 57. Nessuna spiegazione è invece fornita a proposito della deposizione del duca Leone da parte di suo suocero Andrea. *Gesta episcoporum Neapolitanorum*, c. 57.
[107] *Gesta episcoporum Neapolitanorum*, c. 55.

spiegando che il duca agiva su ispirazione del diavolo[108]. Questo governante è inoltre descritto come un invasato capace di escogitare raffinate ritorsioni contro i suoi avversari. Saputo che Giovanni Scriba era l'unico a opporsi al suo desiderio di eleggere un altro vescovo al posto di Tiberio, Bono chiamò Giovanni e, prima lo minacciò, quindi si infuriò e giurò che avrebbe fatto diventare vescovo proprio Giovanni. Alle rimostranze di questi, rispose irosamente che, se egli non avesse obbedito, Tiberio sarebbe stato sgozzato e tutti i beni della Chiesa sarebbero stati confiscati[109].

Giovanni Diacono non è altrettanto critico nei confronti di Sergio II, che aveva ordinato di arrestare i suoi zii, tra i quali c'era il vescovo Atanasio. Il motivo di tale azione non è fornito; il cronista spiega soltanto che il duca aveva agito su suggerimento di uomini malvagi[110]. Egli menziona anche le parole usate dal clero partenopeo per supplicare il governante napoletano di liberare il vescovo, ma da esse non emerge una vibrante condanna dell'operato di Sergio II[111]. Degna di nota è pure la maniera in cui Giovanni Diacono descrive il proseguimento della vicenda. Il duca aveva accolto le preghiere degli ecclesiastici napoletani e aveva liberato Atanasio, però si era rifiutato di fare la stessa cosa con gli altri prigionieri. L'autore sottolinea solamente che egli si era dimostrato estremamente ostinato e non aveva voluto cambiare idea[112], mentre, quando lo scrittore riferisce che Atanasio si era rivolto all'imperatore Ludovico II per risolvere questo problema, egli riporta che Sergio II aveva consigliato ai Salernitani e ai Beneventani di insorgere contro il sovrano. Giovanni Diacono è l'unico cronista ad affermare che nella congiura contro Ludovico II era coinvolto anche il governante partenopeo, però non esprime alcun giudizio su tale comportamento[113].

Il contrasto con quanto ricordato a proposito di Bono è rilevante. La scarsa incisività delle accuse nei riguardi di Sergio II risalta ancora di più se si confronta quello che Giovanni Diacono narra con quanto riferito dalla biografia del vescovo Atanasio,

[108] *Gesta episcoporum Neapolitanorum*, c. 55.
[109] *Gesta episcoporum Neapolitanorum*, c. 56.
[110] *Gesta episcoporum Neapolitanorum*, c. 65.
[111] *Gesta episcoporum Neapolitanorum*, c. 65.
[112] *Gesta episcoporum Neapolitanorum*, c. 65.
[113] *Gesta episcoporum Neapolitanorum*, c. 65. Nella vita del vescovo Atanasio si riferisce soltanto che, ispirati dal diavolo, i Beneventani catturarono Ludovico II. *Vita s. Athanasii*, c. 8. Anche Erchemperto racconta che fu il diavolo a sobillare i Beneventani contro Ludovico II. Egli inoltre narra che Dio, per punire i Longobardi, fece in modo che i Saraceni giungessero dall'Africa per saccheggiare la Campania; in seguito a questa incursione, l'imperatore fu liberato. Erchemperto racconta anche che Dio permise che Ludovico II subisse una tale offesa, perché aveva cercato di indurre con la forza papa Niccolò a restituire la carica a due vescovi da lui condannati e per non avere fatto giustiziare l'emiro di Bari, dopo la caduta della città. Erchemperti *Ystoriola Longobardorum Beneventum degentium*, cc. 34 e 37. Questo episodio è descritto pure da *Les Annales de Saint Bertin*, a. 871, che narrano che i Beneventani si erano ribellati, perché, su istigazione di sua moglie, Ludovico II progettava di mandare in esilio il principe Adelchi, Andrea da Bergamo, *Historia*, c. 20, *Rythmus de captivitate Lhuduici imperatoris*, pp. 74-77, Reginonis abbatis Prumiensis *Chronicon*, a. 871 (in questo testo si riporta che furono i Bizantini a istigare Adelchi), *Chronicon Salernitanum*, c. 109, che imputa la sommossa dei Beneventani al comportamento dell'imperatrice Angelberga, la quale li aveva angariati e offesi, e Giovanni Diacono, *Istoria Veneticorum*, III, 8. Gli *Annales Fuldenses*, p. 74, riferiscono che era stata diffusa la falsa notizia che l'imperatore Ludovico II era stato ucciso da Adelchi. Constantinus Porphyrogenitus, *De administrando imperio*, p. 130, racconta che fu l'emiro di Bari a istigare i nobili beneventani contro Ludovico II. Per un approfondimento sulle differenti versioni, vedi Granier, *La captivité de l'empereur Louis II*, pp. 13-39.

composta da un anonimo probabilmente poco dopo la morte del presule partenopeo. In quest'opera si raccontano i medesimi avvenimenti, ma le critiche rivolte a Sergio II sono molto più aspre. Il duca è accusato di non assomigliare in nulla al padre, di essere volubile[114], avido di potere, ispirato dal diavolo[115] e simile a Giuda[116]. Come un folle era ricorso ai Saraceni per prendere l'isola nella quale si era rifugiato il vescovo[117]. Era inoltre un divoratore dei beni della Chiesa[118] ed era giunto a ordinare che i sacerdoti fossero bastonati e sfilassero nudi, un crimine nefandissimo mai udito in precedenza. La sua condotta scellerata faceva dunque ritenere che si fosse giunti alla fine del mondo e in presenza dell'Anticristo[119]. Il suo comportamento ostinato, che aveva reso vano qualsiasi ammonimento, aveva inoltre indotto il papa a scomunicare i Napoletani[120].

L'unica infamia di cui il biografo di Atanasio non accusa Sergio II e che invece Giovanni Diacono riporta è di avere favorito la congiura contro Ludovico II. Secondo la *Vita di Atanasio*, i soldati partenopei avevano però assalito insieme ai musulmani il prefetto di Amalfi, Marino, inviato da Ludovico II per liberare il vescovo, che si trovava in un'isola nei pressi di Napoli[121]. Il particolare che anche Giovanni Diacono narri che Marino aveva tolto dalla prigionia il presule senza fare alcun cenno agli ostacoli che aveva dovuto superare[122] e quindi neppure alla circostanza che i Saraceni erano alleati ai Napoletani pare confermare l'impressione che il cronista non desiderasse calcare la mano nelle accuse nei confronti di Sergio II. L'impossibilità di sapere esattamente quando Giovanni Diacono fosse vissuto non ci permette di formulare solide ipotesi circa le motivazioni di tali scelte. Si può tuttavia supporre che l'atteggiamento reticente di questo autore fosse dovuto alla circostanza che, mentre egli scriveva, fosse al governo un discendente di Sergio II e che probabilmente fossero ancora vivi alcuni membri della famiglia ducale attivi durante il periodo di governo di Sergio II[123].

Giovanni Diacono poteva invece tranquillamente usare un tono più duro nei confronti di Bono, non tanto perché si trattava di un duca vissuto in un passato più lontano, ma in quanto quel governante non era un membro della famiglia, che a partire da Sergio avrebbe retto il ducato di Napoli per circa tre secoli. Bono si era appropriato

---

[114] *Vita s. Athanasii*, c. 6.
[115] *Vita s. Athanasii*, c. 6.
[116] *Vita s. Athanasii*, c. 6.
[117] *Vita s. Athanasii*, c. 6.
[118] *Vita s. Athanasii*, c. 7.
[119] *Vita s. Athanasii*, c. 7.
[120] *Vita s. Athanasii*, c. 7.
[121] *Vita s. Athanasii*, c. 7.
[122] *Gesta episcoporum Neapolitanorum*, c. 65.
[123] Se è corretta l'ipotesi che attribuisce la compilazione della *Vita di s. Atanasio* a Guarimpoto, il tono più aspro dell'agiografo è probabilmente da attribuire al particolare che questi aveva scritto la sua opera circa ottant'anni dopo gli avvenimenti e non doveva quindi temere di suscitare l'ira di qualche diretto parente di Sergio II. Se questo testo fu invece composto da un anonimo autore poco dopo la morte di Atanasio, come Antonio Vuolo, curatore della nuova edizione della biografia del vescovo Atanasio, ha ipotizzato (*Vita et Translatio s. Athanasii Neapolitani episcopi*, pp. 12-19), questo indicherebbe che l'agiografo era tra coloro che avevano abbandonato Napoli insieme al prelato e aveva scritto quest'opera quando era in esilio, o che era stato più coraggioso del cronista napoletano.

del potere, assassinando il duca in carica e aveva agito in combutta con gli odiati Beneventani. Non è probabilmente un caso che Giovanni Diacono avesse cominciato il racconto dell'azione di Bono contro il vescovo Tiberio, sottolineando che egli era «l'uccisore del duca Stefano»[124].

5. Il soprannaturale

Nell'opera di Giovanni Diacono non si riporta alcun miracolo compiuto dai vescovi napoletani, però ciò non significa che l'elemento soprannaturale sia del tutto assente nella sua opera. L'autore partenopeo infatti spiega alcuni episodi come frutto della provvidenza. La chiesa di san Salvatore, così come era stata distrutta da un incendio per volontà divina, era stata successivamente ricostruita grazie al Signore. Giovanni Diacono spiega che Dio conduce sì «agli inferi della tribolazione», ma, dopo le lacrime e il pianto, sa anche infondere la gioia[125]. Il Signore era stato a fianco del figlio del duca di Napoli, Cesario, permettendogli di resistere efficacemente ai musulmani che stavano assediando Gaeta. Dio aveva inoltre premiato la tattica accorta del Partenopeo, che era rimasto nel porto della città più come un custode che come un combattente, facendo scoppiare una tempesta che aveva distrutto la flotta nemica[126].

In occasione dell'assassinio del duca Stefano II, il cronista invece descrive una divinità che punisce. Iratosi non si sa per quale motivo, il Signore aveva consentito che il governante napoletano fosse ucciso da alcuni suoi concittadini corrotti dal principe di Benevento[127]. Giovanni Diacono però aggiunge subito che Dio, «da giusto giudice», non aveva permesso che un tale crimine rimanesse impunito, facendo in modo che uno dei congiurati, Bono, diventasse duca e poi eliminasse i suoi complici[128]. Il desiderio di spiegare l'intera vicenda grazie all'intervento divino è probabilmente dovuto alla necessità di sorvolare su aspetti poco edificanti della storia di Napoli. Giovanni Diacono pare porre in evidenza il suo imbarazzo, fornendo un'interpretazione non molto convincente. Innanzitutto non spiega perché Dio si era incollerito e non accenna a eventuali peccati commessi dai Napoletani, come invece fanno numerosi autori medievali in situazioni simili. La maniera in cui il Signore aveva punito i congiurati non fu inoltre molto efficace. Uno di loro non aveva infatti subito alcun danno ed era addirittura riuscito a ottenere la carica di duca di Napoli, diventando poi un acerrimo avversario della Chiesa partenopea.

Più efficace, probabilmente perché più semplice, è invece la spiegazione che qualcuno avesse agito su ispirazione del diavolo o che fosse precipitato all'inferno a causa del proprio comportamento. Non tutte le azioni malvagie sono tuttavia giustificate tramite

---

[124] *Gesta episcoporum Neapolitanorum*, c. 55.
[125] *Gesta episcoporum Neapolitanorum*, c. 42.
[126] *Gesta episcoporum Neapolitanorum*, c. 60.
[127] *Gesta episcoporum Neapolitanorum*, c. 53.
[128] *Gesta episcoporum Neapolitanorum*, c. 53.

queste affermazioni. Il ricorso a tali spiegazioni, a meno che non si voglia attribuirlo al caso, consente di stabilire una sorta di graduatoria tra gli episodi bollati come estremamente riprovevoli da Giovanni Diacono[129].

Ispirati dal diavolo, denominato «l'antico nemico»[130] e «l'antica aspide»[131], sono i Beneventani, che avevano assassinato il loro principe Grimoaldo IV[132] al quale erano succeduti Sicone e Sicardo, acerrimi nemici dei Napoletani, e il duca di Napoli, Bono, il quale aveva provocato *multa mala* alla Chiesa napoletana e aveva poi imprigionato il vescovo Tiberio, sostituendolo con Giovanni Scriba[133]. Secondo il cronista, andarono invece all'inferno - definito «pene del Tartaro»[134] e «fuoco eterno»[135] - l'imperatore Costantino V, che aveva sostenuto l'iconoclastia[136], e Tommaso, il quale aveva cercato d'impadronirsi di Costantinopoli con l'aiuto dei musulmani[137].

Si ha pure un riferimento indiretto al paradiso, quando Giovanni Diacono racconta che alla morte del vescovo Giovanni IV tutti i Napoletani erano addolorati per la perdita di un così grande pastore, mentre gli angeli si erano rallegrati, perché potevano accoglierlo tra di loro[138]. La circostanza che il vescovo Giovanni IV sia l'unico personaggio di cui si riporti questo particolare rimarca ulteriormente la volontà del cronista partenopeo di porre in rilievo l'esemplarità della figura di questo presule in modo da fugare qualsiasi sospetto di connivenza tra Giovanni IV e il duca Bono.

6. Conclusioni

Al pari della prima parte dei *Gesta episcoporum Neapolitanorum*, le biografie dei vescovi napoletani costituiscono l'ossatura principale dell'opera di Giovanni Diacono. La possibilità di toccare con mano quanto essi avevano compiuto e di avere a disposizione un numero maggiore di fonti e l'abilità narrativa di questo autore hanno fatto sì che la seconda sezione dei *Gesta* sia molto più dettagliata rispetto alla prima. Una più ampia disponibilità di informazioni non permise tuttavia a Giovanni Diacono di isolare i vescovi dal contesto in cui avevano vissuto, come invece avviene nella parte precedente. Il periodo da lui descritto fu inoltre estremamente delicato. Esso fu infatti caratterizzato dall'ampia autonomia di Napoli da Costantinopoli, che aveva trasformato i duchi partenopei in governanti indipendenti. In una situazione in cui la trasmissione del potere non aveva seguito regole ben stabilite essi dovettero necessariamente

---

[129] È quindi da correggere la tesi di N. Cilento, che sostiene che per Giovanni Diacono tutto il male del mondo era sempre promosso dal diavolo. Cilento, *Cultura e storiografia nell'Italia meridionale*, p. 63, e Cilento, *La storiografia meridionale*, p. 541.

[130] *Gesta episcoporum Neapolitanorum*, c. 51.

[131] *Gesta episcoporum Neapolitanorum*, c. 55.

[132] *Gesta episcoporum Neapolitanorum*, c. 51.

[133] *Gesta episcoporum Neapolitanorum*, c. 55.

[134] *Gesta episcoporum Neapolitanorum*, c. 43.

[135] *Gesta episcoporum Neapolitanorum*, c. 54.

[136] *Gesta episcoporum Neapolitanorum*, cc. 41 e 43.

[137] *Gesta episcoporum Neapolitanorum*, c. 54.

[138] *Gesta episcoporum Neapolitanorum*, c. 62.

rafforzare il proprio potere e uno dei modi fu quello di ottenere il controllo della Chiesa partenopea.

Sfortunatamente non è possibile determinare in quale periodo e contesto Giovanni Diacono compose la sua opera. Essa pare tuttavia rappresentare una sorta di bilancio della Chiesa napoletana durante questo difficile periodo. L'autore quindi si vide costretto a porre in evidenza non solo che i vescovi erano stati all'altezza dei loro predecessori nella cura degli edifici religiosi e del loro gregge, ma anche che essi non si erano dimostrati accomodanti nei confronti dei governanti partenopei. Ogni situazione increciosa è dunque addebitata al comportamento dei laici. Il desiderio di non distorcere troppo gli avvenimenti o di omettere alcuni fatti - dettato forse dalla volontà di non rinunciare completamente al suo compito di storico obiettivo - costituisce una fortuna per gli studiosi, poiché il modo in cui l'autore riferisce gli avvenimenti permette di intravedere quali erano state le tensioni e le connivenze tra autorità laiche e religiose. Se è corretta l'ipotesi di Domenico Mallardo, che identificava nella seconda parte dei *Gesta episcoporum Neapolitanorum* una delle opere giovanili, che erano valse aspre critiche all'agiografo Giovanni[139], era forse stata proprio la sua scelta di non volere creare un quadro idilliaco ad avergli attirato tali rimproveri[140]. Ovviamente è un'ipotesi che si basa anch'essa su una supposizione, ma questo dissidio, che pare trasparire dai *Gesta*, potrebbe spiegare perché il cronista Giovanni Diacono non avesse raccontato la vita di Atanasio II, il vescovo succeduto ad Atanasio, che aveva fatto accecare suo fratello, si era appropriato del titolo di duca e non aveva esitato ad allearsi con i musulmani[141]. Troppi sarebbero stati infatti gli avvenimenti da omettere[142]. Per quanto concerne l'identificazione dell'autore di questa sezione dei *Gesta* con l'omonimo agiografo vissuto agli inizi del X secolo, la comparazione tra questo testo e le *translationes* di san Severino e san Sossio, composte dal secondo autore, fornisce dati che vanno soprattutto contro tale identificazione[143].

---

[139] Mallardo, *Giovanni Diacono napoletano. La continuazione del «Liber Pontificalis»*, p. 326; *Translatio sancti Sosii*, p. 459.

[140] T. Granier invece formula tre altre ipotesi sulle cause di queste critiche: avere riferito che, ai tempi dell'elezione del vescovo Paolo II, Napoli era schierata in favore dell'iconoclastia, essersi fermato alla biografia di Atanasio e avere menzionato il comportamento ostile del duca Sergio II nei riguardi di Atanasio. Granier, *La difficile genèse*, p. 277.

[141] In generale su Atanasio II, vedi Cassandro, *Il ducato bizantino*, pp. 100 sgg., Bertolini, *Atanasio*, pp. 510-518 e Granier, *Napolitains et Lombards*, pp. 420 sgg.

[142] Il particolare che il ricordo di questo vescovo-duca non facesse piacere a Napoli pare suggerito anche dal fatto che, come si è già sottolineato, della sua vita, che si trovava nello stesso manoscritto riportante i *Gesta* di Giovanni Diacono, non ci siano pervenute che poche righe.

Una versione in inglese di questa introduzione è stata pubblicata in Berto, *«Utilius est veritatem proferre». A Difficult Memory to Manage*.

[143] Vedi appendice, II.

Il manoscritto dei *Gesta episcoporum Neapolitanorum*

L'unico manoscritto medievale che riporta i *Gesta episcoporum Neapolitanorum* è un codice membranaceo conservato presso la Biblioteca Apostolica Vaticana: il *Codex Vaticanus Latinus* 5007 (d'ora in poi indicato con C). Esso è costituito dall'unione di due manoscritti diversi composti in differenti periodi.

Il primo, probabilmente scritto tra la fine dell'ottavo secolo e gli inizi del successivo[144], fu redatto in onciale (forse da due mani), presenta delle lacune (tra cui la parte iniziale)[145] ed è costituito dai ff. 1ʳ-100ᵛ. Esso contiene le vite dei primi trentanove prelati napoletani, dal semileggendario Aspreno[146], che sarebbe stato consacrato vescovo da san Pietro, a Calvo († 762/763)[147]. Come si è già rilevato, la maggior parte di questa sezione dei *Gesta* è costituita da brani tratti da altre opere che menzionano la storia dei papi e degli imperatori contemporanei ai vescovi napoletani.

Il secondo codice, risalente alla prima metà del decimo secolo e redatto in scrittura beneventana da due copisti, si trova in 101ʳ - 130ʳ. Esso riporta le vite dei prelati di Napoli da Paolo II, successore di Calvo, fino ad Atanasio II. Come si è già sottolineato, questo manoscritto è mutilo nella parte finale; della biografia di Atanasio II, succeduto ad Atanasio, è infatti presente solamente la sezione iniziale (ff. 130ʳ-130ᵛ).

La data in cui avvenne la giustapposizione dei due codici è sconosciuta. La presenza in entrambi i manoscritti di glosse risalenti al tredicesimo secolo indica tuttavia che questo accadde durante o prima di quel secolo[148]. Le note di possesso del codice rilevano che esso si trovava a Napoli tra la fine del XIV secolo e gli inizi del successivo e che apparteneva a «dominus Bartholomeus Condestabulis de Benevento»[149]. La presenza sul piatto esterno della copertina del Codice Vaticano Latino 5007 dello stemma di papa Paolo V (1605-1621) indica che esso era già nella Biblioteca Vaticana durante il suo pontificato[150].

---

[144] Esso è stato datato a questo periodo da E. Condello, la quale però non discute la precedente ipotesi che poneva la composizione di questa sezione nel secondo quarto del nono secolo (cfr. gli studi citati in Bertolini, *La Chiesa di Napoli durante la crisi iconoclasta*, pp. 104-105; A. Bellucci riteneva che essa fosse stata scritta nella seconda metà del nono secolo. Bellucci, *Il Prologus del Codice Vaticano latino 5007*, p. 318). Poiché in essa sono menzionati dei brani tratti dalla *Historia Langobardorum* di Paolo Diacono, essa fu sicuramente scritta dopo la composizione di quest'opera (fine ottavo secolo). Condello, *Una scrittura e un territorio*, pp. 93-96. Se l'ipotesi di questa studiosa è corretta, non avrebbe alcuna validità la posizione di chi, ignorando il lavoro della Condello, ha sostenuto che la prima sezione fosse stata composta durante il vescovado di Giovanni IV (831-849) e più precisamente in occasione della traslazione delle reliquie di alcuni prelati partenopei ordinata da quel vescovo. Lucherini, *La cattedrale di Napoli*, pp. 66-73. Pur citando lo studio della Condello, ma non discutendolo, anche T. Granier è a favore di questa ipotesi. Granier, *La difficile genèse*, p. 269.

[145] Su questo, vedi Bertolini, *La Chiesa di Napoli durante la crisi iconoclasta*, pp. 108 e 111-122.

[146] *Gesta episcoporum Neapolitanorum*, c. 2.

[147] *Gesta episcoporum Neapolitanorum*, c. 39.

[148] Bertolini, *La Chiesa di Napoli durante la crisi iconoclasta*, p. 106.

[149] Esse si trovano in f. 1r e in f. 130v. Su questo e le varie ipotesi su tale personaggio, vedi Bertolini, *La Chiesa di Napoli durante la crisi iconoclasta*, p. 107.

[150] Sul piatto interiore della copertina c'è invece lo stemma del cardinale Scipione Borghese. Bertolini, *La Chiesa di Napoli durante la crisi iconoclasta*, p. 109.

Edizioni precedenti

Chronicon Episcoporum S. Neapolitanae Ecclesiae, a cura di L. A. Muratori, in *Rerum Italicarum Scriptores*, Milano 1725, pp. 285-318.

Gesta episcoporum Neapolitanorum, a cura di G. Waitz, in *Monumenta Germaniae Historiae, Scriptores rerum Langobardicarum et Italicarum saec. VI-IX*, Hannover 1878, pp. 402-436.

Chronicon episcoporum S. Neapolitanae Ecclesiae, a cura di B. Capasso, in *Monumenta ad Neapolitani Ducatus historiam pertinentia*, I, Napoli 1881, pp. 155-221.

Dato che tutte le parti dei *Gesta episcoporum Neapolitanorum* sono presenti in un unico manoscritto e non si hanno informazioni sulla cultura degli autori, in questa edizione si è deciso di intervenire soltanto nei casi in cui ci sono evidenti sviste dell'autore o errori di copiatura, che rendono difficoltosa la comprensione del testo.

Ad esempio, in c. 41 si ha *cathedam* per *cathedram*.

In c. 53 *affectum* per *effectum; ur bis* per *urbis*.

In c. 54 *exer citu* per *exercitu*.

In c. 56 *Do* per *Deo*.

In c. 59 *inthonizari* per *inthronizari*.

In c. 63 *nectere* per *nectare, clocleariis* per *cocleariis*.

In c. 65 *iterans* per *itinerans*.

Eccetto per alcune differenze ortografiche, le maggiori differenze tra questa edizione e le precedenti sono dovute ad alcuni errori compiuti da G. Waitz e B. Capasso.

Ad esempio, in c. 41 G. Waitz scrive *dicatam* per *dedicatam*.

In c. 42 Capasso riporta *describere* per *scribere*.

In c. 53 *de predando* per *depredando*.

In c. 61 *omnes* per *omnium*.

In c. 65 Waitz e Capasso omettono *apostoli*.

In C l'opera non presenta alcuna paragrafazione. Per facilitare le citazioni ho deciso di mantenere la suddivisione in capitoli presente nell'edizione di G. Waitz, che, grazie al fatto di essere stata inserita in un volume dei *Monumenta Germaniae Historica*, è maggiormente diffusa e utilizzata dagli studiosi rispetto a quella curata da B. Capasso. Poiché l'autore della prima parte dei *Gesta* comincia le biografie dei vescovi riportando quale era la loro posizione nella lista episcopale di Napoli – operazione effettuata aggiungendo un numero in cifre romane prima del nome del prelato –[151], per evitare confusione tra questo tipo di informazione e i numeri dei capitoli, si è deciso di indicare quest'ultimi usando le cifre arabe e di porli tra parentesi quadre sia nel testo latino che nella traduzione italiana.

---

[151] Il cronista menziona questa informazione per quasi tutti i vescovi.

L'obiettivo di questo volume è di fornire l'edizione riveduta del testo latino e la traduzione con note di commento della parte più originale dei *Gesta episcoporum Neapolitanorum*, vale a dire la seconda, quella composta da Giovanni Diacono. A essa sono state aggiunte anche le poche righe pervenuteci della terza sezione. Per quanto riguarda la prima parte, come si è già sottolineato, la maggior parte di essa è costituita da episodi tratti alla lettera da vari testi, soprattutto dalle biografie dei papi, *Le sei età del mondo* di Beda e la *Storia dei Longobardi* di Paolo Diacono. Considerata la scarsa originalità di questi brani e il particolare che essi non hanno alcuna attinenza con la storia napoletana, della prima sezione dei *Gesta* sono state menzionate soltanto le parti riguardanti i vescovi partenopei, il breve riassunto della *Vita di san Severino* di Eugippo in cui si narra il trasporto a Napoli dei resti del santo, la descrizione dell'epidemia, che colpì la città partenopea nell'ottavo secolo, e il brano riguardante l'imperatore bizantino Costantino V, che non è ricordato in nessun'altra fonte.

Appendice

I. Lista dei vescovi nei *Gesta episcoporum Neapolitanorum*

I. Aspreno

II. Epitimito

III. Maro

IV. Probo

V. Paolo

VI. Agrippino

VII. Eustazio

VIII. Efebo

IX. Fortunato

X. Massimo

XI. Zosimo

XII. Severo

XIII. Orso

XIV. Giovanni

XV. Nostriano

XVI. Timasio

XVII. Felice

XVIII. Soter

XIX. Vittore

XX. Stefano

XXI. Pomponio

XXII. Giovanni II

XXIII. Vincenzo

XXIV. Reduce

XXV. Demetrio

XXVI. Fortunato II

XXVII. Pascasio

XXVIII. Giovanni III

XXIX. Cesario

XXX. Grazioso

XXXI. Eusebio

XXXII. Leonzio

XXXIII. Adeodato

XXXIV. Agnello

XXXV. Giuliano

XXXVI. Lorenzo

XXXVII. Sergio

XXXVIII. Cosma

XXXIX. Calvo

XL. Paolo II

XLI. Stefano II

XLII. Paolo III

II. Somiglianze e differenze terminologiche tra i *Gesta episcoporum Neapolitanorum* di Giovanni Diacono e la *Translatio sancti Severini*

Effettuando un'analisi terminologica dei testi, emerge che l'aggettivo *vesanus* – mai utilizzato dai cronisti altomedievali italiani – compare sia nei *Gesta* che nella *Translatio sancti Severini*[152]. Degno di nota è pure che in quest'opera agiografica il duca di Napoli sia sempre definito *consul*[153], un titolo spesso impiegato per i governanti partenopei nei *Gesta*.

Molte di più sono tuttavia le differenze terminologiche tra le due opere.

Parole presenti solamente nei *Gesta episcoporum Neapolitanorum* di Giovanni Diacono:

accola, aemulator, afflictus, aliquantulum, angustatus, apparatus, arduus, arripere, bonitas, cedis, certamen, clamare, clanculo, coangustatus, comminare, comprehendere, compulsus, conari, consilium, constrictus, contrarius, cupere, curare, detestabilis, detrimentus, diabolicus, dominatus, egregius, enarrare, excussum, execrabilis, fedissimus, grassare, horrescere, humanitas, humilis, iaculatus, impavidus, incurrere, infidus, infundere, ingruens, inhumanitas, instigatus, languida, legatus, letalis, lumen, macula, mediocris, migrare, minare, moliens, perducere, peregrinatio, peremere, perterritus, pessimus, piaculi, pietas, poena, potissimus, praeclarus, praenominatus, primates, professus, profusus, promotus, propellens, providus, qualis, qualiter, rarus, religare, reliquus, retexere, reverentia, Romuleus, sancire, satagere, scelus (nella *Translatio sancti Severini* c'è scelestissimus), simulare, solacium, subedere, subesse, sublimatus, suffultus, supervenire, suptilis, tenebris, tenebrosus, timor, tribulatio, tristis, turpissimus, ultio.

Parole presenti nella *Translatio sancti Severini* ma non nei *Gesta episcoporum Neapolitanorum*:

abducere, abundare, abyssus, accelerare, accidere, acriter, affectum, afflatus, agmina, agris, alacer, aliquantus, alternans, amarus, amplissimus, arma, aspectus, assertio, assiduus, assuetus, astantes, athleta, avidissimus, bachans, bellua, benedictus, benignitas, caelitus, caesus, christicolae, citro, comminatio, commotio, compaginatus, compatere, competere, complere, concinnatus, confidere, confligere, conspectus, constantissimus, consternatio, consternatus, contemptor, contexere, contorquens, conversus, copiosus, correptus, cruentissimus, cupiditas, daemon, degener, delictum, demolire, deplorare, discors, dissimulanter, distractio, divus, effervescere, efflagitare, elegans, esuriens, eversus, evigilans, exponere, exposcere, falsidicus, fama, famulans, flagellum, flagranter, formidolosus, forsitan, fortiter, fortitudo, furens, furia, furibundus, generalis, hactenus, Hesperia, horrendus, horripilatio,

---

[152] *Gesta episcoporum Neapolitanorum*, c. 57: «Quapropter misit ille Contardum fidelem suum, ut, si nollet cessare persequi Parthenopensem populum, vesanum eius furorem ipse medicaretur»; *Translatio Sancti Severini*, p. 457: «'Quousque', ait, 'horripilationem patimini, metu vesano fluctuantes?'»; *Translatio Sancti Severini*, p. 458: «Sed senex in vesanum coniecit baculum, quem manu tenebat».

[153] *Translatio Sancti Severini*, cc. 1, 5 (due volte), 6, 8.

iactare, illuminare, illustris, immaculatus, immanissimus, immensus, immorari, impetus, impius, implere, imploratio, impudens, inauditus, inchoare, incomitatus, incredibilis, incredulus, incutere, indagatio, indignans, indignatio, inemendabilis, inexplebilis, infelix, infremere, ingens, ingravescens, innuere, inquirere, inquisitor, insatiabilis, insistere, insolens, intentio, intimis, iuvenculus, lacrimosus, libantes, loculum, machinator, magnalia, magnificare, mausoleum, medulla, merces, metus, minatim, mirari, miserabiliter, misericordissimus, mobilis, mollis, mora, mortalis, nefandissimus, nequissimus, nequitia, nostrates, notissimus, nuntius, nus, obitum, obsequium, occursio, officiosissime, opitulans, oppugnare, optare, optimates, orbis, ortus, ostendere, palpitare, patrare, patrator, pecus, peramplius, percellere, percurrere, perferre, perlustrăns, permulcere, perspicue, perstrepere, pertinacia, pertrahere, perungere, pervagare, phalanges, placidissimus, plane, plebs, populosus, portendere, portentum, potens, praeceps, praeda, praescribere, praeteritum, procinctus, procumbere, proditio, proditus, proh, propugnaculum, prorsus, prospicere, protervus, protinus, protrahere, provocare, psallere, pugnare, punire, quantocius, rabidissimus, rapacissimus, rapacitas, raptim, resarcire, reserare, reservare, resipiscere, responsum, resultare, reverendissime, ritus, robur, robustissimum, roseus, sacratus, saepedictus, saeviens, saevitia, sanatus, sanctimonialis, sanguinarius, scelestissimus, solers, sponsor, statera, sternere, stillare, stimulare, strages, strenuus, strepitus, strictim, stupor, stygialis, stylus, subsidium, suffectus, sufficere, suffodere, summatim, superius, supplex, surreptio, suspiria, telum, templum, timere, titubare, tonare, torpere, tranare, transfodere, transere, transmigrare, tribuere, tripudio, tumba, turbatus, tyrannus, tyrannulus, unctio, vacuum, vagare, vigilare, violator, vociferans, votivus.

Ringraziamenti

Le ricerche per completare questo libro sono state rese possibili grazie a un "Faculty Research and Creative Activities Award (Western Michigan University)", un "Support for Faculty Scholars Award (Western Michigan University)" e un "Research Grant of the Burnham–MacMillan History Department Endowment of Western Michigan University", che ha anche reso possibile la pubblicazione del volume. Desidero ringraziare queste istituzioni, lo staff di Pisa University Press, Chiara Frison, Stefano Trovato, Elisabetta Sciarra, Roberto Pesce e Eric Ware per l'aiuto fornitomi.

FONTI

Ado Viennensis, *Chronicon*, a cura di G. Pertz, in *Monumenta Germaniae Historica, Scriptores*, II, Hannover 1829, pp. 315-323.

Agnelli Ravennatis *Liber pontificalis ecclesiae Ravennatis, Corpus Christianorum. Continuatio Mediaevalis*, 199, a cura di D. Mauskopf Deliyannis, Turnhout 2006.

Andrea da Bergamo, *Historia*, in *Testi storici e poetici dell'Italia carolingia*, edizione e traduzione italiana a cura di L. A. Berto, Padova 2002, pp. 22-65.

Andreas of Bergamo, *Historia*, in *Italian Carolingian Historical and Poetic Texts*, edizione e traduzione inglese a cura di L. A. Berto, Pisa 2016, pp. 65-97.

Annales qui dicuntur Einhardi, in *Annales regni Francorum et Annales qui dicuntur Einhardi*, a cura di F. Kurze, *Monumenta Germaniae Historica, Scriptores rerum Germanicarum in usum scholarum separatim editi*, Hannover 1895.

Annales Fuldenses sive Annales regni Francorum orientalis, a cura di G. H. Pertz - F. Kurze, *Monumenta Germaniae Historica, Scriptores rerum Germanicarum in usum scholarum separatim editi*, Hannover 1891.

Annales regni Francorum et Annales qui dicuntur Einhardi, a cura di F. Kurze, *Monumenta Germaniae Historica, Scriptores rerum Germanicarum in usum scholarum separatim editi*, Hannover 1895.

Les Annales de Saint Bertin, a cura di F. Grat - J. Vielliard - S. Clémencet, Paris 1964.

Benedicti S. Andreae *Chronicon*, in *Il «Chronicon» di Benedetto, monaco di S. Andrea del Soratte e il «Libellus de imperatoria potestate in urbe Roma»*, a cura di G. Zucchetti, Fonti per la Storia d'Italia, Roma 1920, pp. 3-187.

I capitolari italici. Storia e diritto della dominazione carolingia in Italia, a cura di C. Azzara - P. Moro, Roma 1998.

Capitularia regum Francorum, II, a cura di A. Boretius - V. Krause, *Monumenta Germaniae Historica, Legum sectio* II, Hannover 1897.

Chronica Monasterii Casinensis, a cura di H. Hoffmann, *Monumenta Germaniae Historica, Scriptores*, XXXIV, Hannover 1980.

The Chronicle of Theophanes Confessor. Byzantine and Near Eastern History AD 284-813, a cura di C. Mango, R. Scott e G. Greatrex, Oxford 1997.

Chronicon ducum et principum Beneventi, Salerni et Capuae et ducum Neapolis, a cura di B. Capasso, in *Monumenta ad Neapolitani Ducatus historiam pertinentia*, I, Napoli 1881, pp. 7-9.

Chronicon episcoporum S. Neapolitanae Ecclesiae, a cura di B. Capasso, in *Monumenta ad Neapolitani Ducatus historiam pertinentia*, I, Napoli 1881, pp. 155-221.

Chronicon Salernitanum: A critical edition with Studies on Literary and Historical Sources and on Language, a cura di U. Westerbergh, Stockholm 1956.

Constantinus Porphyrogenitus, *De administrando imperio*, a cura di G. Moravcsik - J. H. Jenkins, Washington 1967.

The «Cronaca di Partenope»: An Introduction to and Critical Edition of the First Vernacular History of Naples (c. 1350), a cura di S. Kelly, Leiden - Boston 2011.

Cronicae Sancti Benedicti Casinensis, a cura di L. A. Berto, Firenze 2006.

Dialogi de miraculis sancti Benedicti auctore Desiderio abbate Casinensis, a cura di G. Schwartz - A. Hofmeister, in *Monumenta Germaniae Historica, Scriptores*, XXX/2, Hannover 1934, pp. 1111-1151.

Epitaphium Siconis Principis, in *Monumenta Germaniae Historica, Poetae Latini aevi Carolini*, II, a cura di E. Duemmler, Berlin 1884, pp. 649-651.

Erchemperto, *Piccola Storia dei Longobardi di Benevento / Ystoriola Longobardorum Beneventum degentium*, a cura di L. A. Berto, Napoli 2013.

Eugippe, *Vie de saint Séverin,* a cura di P. Régerat, Sources Chrétiennes, 374, Paris 1991.

Falcone di Benevento, *Chronicon Beneventanum. Città e feudi nell'Italia dei Normanni*, a cura di E. D'Angelo, Firenze 1998.

Giovanni Diacono, *Istoria Veneticorum*, a cura di L. A. Berto, Istituto storico italiano per il Medioevo. Fonti per la Storia dell'Italia medievale. Storici italiani dal Cinquecento al Millecinquecento ad uso delle scuole, 2, Bologna 1999.

Histoire des guerres et des conquêtes des Arabes en Armenie par l'eminent Ghévond, vardabed arménien, écrivain du huitième siècle, tradotto da Garabed V. Chahnazarian, Paris 1856.

Liber pontificalis, a cura di L. Duchesne, 2 vols., Paris 1886-1892.

J.-M. Martin, *Guerre, accords et frontières en Italie méridionale pendant le Haut Moyen Âge. «Pacta de Liburia, Divisio Principatus Beneventani» et autres actes.* Sources et documents d'Histoire du Moyen Âge publiés per l'École française de Rome, 7, Roma 2005.

Ex miraculis S. Antoninis abbatis Surrentinis, a cura di G. Waitz, in *Monumenta Germaniae Historica, Scriptores rerum Langobardicarum et Italicarum saec. VI-IX*, Hannover 1878 pp. 583-585.

Pauli Diaconi *Historia Langobardorum*, a cura di L. Bethmann - G. Waitz, in *Monumenta Germaniae Historica, Scriptores rerum Langobardicarum et Italicarum saec. VI-IX*, Hannover 1878, pp. 183-224.

Pietro Suddiacono napoletano, *L'opera agiografica*, a cura di E. D'Angelo, Firenze 2002.

Reginonis abbatis Prumiensis *Chronicon cum continuatione Treverensi*, a cura di F. Kurze, *Monumenta Germaniae Historica, Scriptores rerum Germanicarum in usum scholarum separatim editi*, Hannover 1890.

Rythmus de captivitate Lhuduici imperatoris, in *Testi storici e poetici dell'Italia carolingia*, edizione e traduzione italiana a cura di L. A. Berto, Padova 2002, pp. 74-77.

Rythmus de captivitate Lhuduici imperatoris, in *Italian Carolingian Historical and Poetic Texts*, edizione e traduzione inglese a cura di L. A. Berto, Pisa 2016, pp. 107-111.

C. Russo Mailler, *Il senso medievale della morte nei carmi epitaffici dell'Italia meridionale fra VI e XI secolo*, Napoli 1981.

Theophanes Continuatus, *Chronographia*, in *Theophanes Continuatus, Joannes Cameniata, Symeon magister, Georgius Monachus*, a cura di J. Bekker, *Corpus scriptorum historiae Byzantinae*, Bonn 1838, pp. 3-481.

Translatio sancti Severini auctore Iohanne Diacono, a cura di G. Waitz, in *Monumenta Germaniae Historica, Scriptores rerum Langobardicarum et Italicarum saec. VI-IX*, Hannover 1878, pp. 452-459.

Translatio sancti Sosii auctore Iohanne Diacono, a cura di G. Waitz, in *Monumenta Germaniae Historica, Scriptores rerum Langobardicarum et Italicarum saec. VI-IX*, Hannover 1878, pp. 459-465.

Translatio s. Athanasii, in *Vita et Translatio s. Athanasii Neapolitani episcopi*, pp. 145-162.

Vita s. Athanasii, in *Vita et Translatio s. Athanasii Neapolitani episcopi*, pp. 113-143.

Vita et Translatio s. Athanasii Neapolitani episcopi (BHL 735 e 737) sec. IX, a cura di A. Vuolo, Istituto storico italiano per il Medioevo. Fonti per la storia dell'Italia medievale. Antiquitates 16, Roma 2001.

BIBLIOGRAFIA

Agnello, in *Dizionario biografico degli Italiani*, 1, Roma 1960, p. 428.

M. Amari, *Storia dei Musulmani di Sicilia*, II ed. a cura di C. A. Nallino, I vol., Catania 1933.

D. Ambrasi, *Il cristianesimo e la Chiesa napoletana dei primi secoli*, in *Storia di Napoli*, I, Napoli 1967, pp. 623-759.

D. Ambrasi, *Le diaconie a Napoli nell'alto Medioevo*, in «Campania Sacra. Studi e documenti», 11-12 (1980-1981), pp. 45-61.

P. Arthur, *Naples, from Roman Town to City-State. An Archaeological Perspective*, London 2002.

F. Avagliano, *Monumenti del culto a s. Pietro in Montecassino*, in «Benedictina», 14 (1967), pp. 57-76.

Bains curatifs et bains hygiéniques en Italie de l'antiquité au Moyen-Âge, a cura di M. Guerin-Beauvois - J.-M. Martin, Roma 2007.

A. Barbero, *Carlo Magno. Un padre dell'Europa*, Roma-Bari 2000.

A. Bellucci, *Il Prologus del Codice Vaticano latino 5007*, in «Atti della Accademia Pontoniana», n. s. IV (1950-1952), pp. 317-326.

N. Bergamo, *Costantino V. Imperatore di Bisanzio*, Rimini 2007.

W. Berschin, *Biographie und Epochenstil im lateinischen Mittelalter*, II, *Merowingische Biographie. Italien, Spanien und die Inseln im frühen Mittelalter*, Stuttgart 1988.

W. Berschin, *Medioevo greco-latino. Da Gerolamo a Niccolò Cusano*, Napoli 1989.

L. A. Berto, *Giovanni Diacono*, in *Dizionario biografico degli Italiani*, 56, Roma 2001, pp. 7-8.

L. A. Berto, *«Utilius est veritatem proferre». A Difficult Memory to Manage: Narrating the Relationships between Bishops and Dukes in Early Medieval Naples*, in «Viator. Medieval and Renaissance Studies» 39, 2 (2008), pp. 49-63.

L. A. Berto, *The others and their stories: Byzantines, Franks, Lombards, and Muslims in ninth-century Neapolitan narrative texts*, in «Medieval History Journal», 19, 1 (2016), pp. 34-56.

L. A. Berto, *I raffinati metodi d'indagine e il mestiere dello storico. L'alto medioevo italiano all'inizio del terzo millennio*, Mantova 2016.

P. Bertolini, *Arechi II*, in *Dizionario biografico degli Italiani*, 4, Roma 1962, pp. 71-78.

P. Bertolini, *Atanasio, santo*, in *Dizionario biografico degli Italiani*, 4, Roma 1962, pp. 508-510.

P. Bertolini, *Atanasio*, in *Dizionario biografico degli Italiani*, 4, Roma 1962, pp. 510-518.

P. Bertolini, *La serie episcopale napoletana nei sec. VIII e IX. Ricerche sulle fonti per la storia dell'Italia meridionale nell'alto Medioevo*, in «Rivista di Storia della Chiesa in Italia» XXIV, 2 (1970), pp. 349-440.

P. Bertolini, *La Chiesa di Napoli durante la crisi iconoclasta. Appunti sul codice Vaticano Latino 5007*, in *Studi sul Medioevo cristiano offerti a Raffaello Morghen*, Roma 1974, pp. 101-127.

P. Bertolini, *Cesario*, in *Dizionario biografico degli Italiani*, 24, Roma 1980, pp. 205-210.

T. Brown, *Byzantine Italy, c. 680 - c. 876*, in *The New Cambridge Medieval History*. Volume II. *c. 700 - c. 900*, a cura di R. McKitterick, Cambridge 1995, pp. 320-348.

L. Brubaker - J. Haldon, *Byzantium in the Iconoclastic Era c. 680-850: a History*, Cambridge 2011.

D. Camardo - A. Rossi, *Suessula: trasformazione e fine di una città*, in *Le città campane fra tarda antichità e alto Medioevo*, a cura di G. Vitolo, Salerno 2005, pp. 167-192.

P. Cammarosano, *Nobili e re. L'Italia politica dell'alto medioevo*, Roma - Bari 1998.

B. Capasso, *Topografia della città di Napoli nell'XI secolo*, Napoli 1895.

L. Capo, *Paolo Diacono*, in *Dizionario biografico degli Italiani*, 81, Roma 2014, pp. 151-162.

G. Capone, *La collina di Pizzofalcone nel Medioevo*, Napoli 1991.

G. Cassandro, *Il ducato bizantino*, in *Storia di Napoli*, II, 1, Napoli 1969, pp. 3-403.

N. Cilento, *Le origini della signoria di Capua nella Longobardia minore*, Roma 1966.

N. Cilento, *La Chiesa di Napoli nell'alto Medioevo*, in *Storia di Napoli*, II, 1, Napoli 1969, pp. 641-735.

N. Cilento, *La cultura e gli inizi dello studio*, in *Storia di Napoli*, II, 1, Napoli 1969, pp. 521-640.

N. Cilento, *Il significato della «translatio» dei corpi dei vescovi napoletani dal cimitero di S. Gennaro «extra moenia» nella basilica della Stefania*, in «Campania Sacra. Studi e documenti», 1 (1970), pp. 1-6.

N. Cilento, *La storiografia meridionale*, in *La storiografia altomedievale*, Atti della XVII Settimana di studio del Centro Internazionale di Studi sull'Alto Medioevo, Spoleto 1970, pp. 521-556.

N. Cilento, *Cultura e storiografia nell'Italia meridionale fra i secoli VIII e X*, in N. Cilento, *Italia meridionale longobarda*, Milano - Napoli, 1971[2], pp. 52-71.

E. Condello, *Una scrittura e un territorio. L'onciale dei secoli V-VIII nell'Italia meridionale*, Spoleto 1994.

E. D'Angelo, *Iohannes Neapolitanus Diac.*, in *La trasmissione dei testi latini del medioevo - Medieval Latin Texts and their Transmission*, III, Firenze 2006, pp. 367-372.

P. Delogu, *Il principato di Salerno. La prima dinastia*, in *Storia del Mezzogiorno*, II. *Il Medioevo*, 1, Napoli 1988, pp. 237-277.

A. Di Muro, *Economia e mercato nel Mezzogiorno longobardo (secc. VIII-IX)*, Salerno 2009.

F. Dolbeau, *La vie latine de saint Euthyme: une traduction inédite de Jean, diacre napolitain*, in «Mélanges de l'Ecole Française de Rome, Moyen Age - Temps Modernes», XCIV (1982), pp. 315-335.

C. Ebanista, *«in cymiterio foris ab urbe»: nuovi dati sulla catacomba di S. Efebo a Napoli*, in *Territorio e insediamenti fra tarda antichità e alto medioevo*, a cura di C. Ebanista - M. Rotili, Napoli 2016, pp. 305-354.

C. Ebanista, *«Eodem tempore fecit Constantinus Augustus basilicam in civitatem Neapolim»: nuovi dati sull'origine del gruppo episcopale partenopeo*, in *Costantino e i Costantinidi. L'innovazione costantiniana, le sue radici e i suoi sviluppi*, Pars I, a cura di O. Brandt - G. Castiglia, Città del Vaticano 2016, pp. 125-173.

C. Ebanista, *Gli spazi funerari a Napoli fra tarda antichità e alto medioevo*, in *Città, spazi pubblici e servizi sociali nel Mezzogiorno medievale*, a cura di G. Vitolo, Salerno 2016, pp. 251-293.

A. Feniello, *Sotto il segno del leone. Storia dell'Italia musulmana*, Bari-Roma 2011.

G. Fiaccadori, *Il Cristianesimo. Dalle origini alle invasioni barbariche*, in *Storia e civiltà della Campania. Il Medioevo*, a cura di. G. Pugliese Caratelli, Napoli 1992, pp. 145-170.

M. Fuiano, *Libri, scrittorii e biblioteche nell'alto Medioevo*, Napoli 1973.

M. Fuiano, *Spiritualità e cultura a Napoli nell'alto Medioevo*, Napoli 1986.

G. M. Fuscono, *Aspreno*, in *Bibliotheca Sanctorum*, II, Roma 1962, coll. 507-511.

F. Gabotto, *Eufemio e il movimento separatista nell'Italia bizantina*, Torino 1890.

A. Galdi, *Scritture agiografiche, culti, componenti politiche e culture dal secolo IX al XII*, in *Napoli nel Medioevo. Segni culturali di una città*, Galatina (LE) 2007, pp. 77-101.

S. Gasparri, *Il ducato e il principato di Benevento*, in *Storia del Mezzogiorno*, II. *Il Medioevo*, 1, Napoli 1988, pp. 83-146.

L. Gatto, *L'eco della Conquista araba della Sicilia nelle fonti cristiane*, in «Quaderni Catanesi di Studi classici e medievali», I, 1 (1979), pp. 25-79 (ristampato in L. Gatto, *Sicilia medievale*, Roma 1992, pp. 175-196).

V. Gleijess, *La storia di Napoli dalle origini ai nostri giorni*, Napoli 1974.

T. Granier, *Napolitains et Lombards aux VIIIe-XIe siècles. De la guerre des peuples à la «guerre des saints» en Italie du sud*, in «Mélanges de l'Ecole Française de Rome», CVIII, 2, (1996), pp. 403-450.

T. Granier, *Le peuple devant les saints: La cité et le peuple de Naples dans les textes hagiographiques fin IXe - début Xe s.*, in *Peuples du Moyen Age. Problemes d'identification*, a cura di C. Carozzi - H. Taviani-Carozzi, Aix-en Provence 1996, pp. 57-76.

T. Granier, *Lieux de mémoire - lieux de culte à Naples aux Ve - Xe siècles: saint Janvier, saint Agrippin et le souvenir des évêques*, in *Faire mémoire. Souvenir et commémoration au Moyen Âge*, a cura di C. Carozzi - H. Taviani-Carozzi, Aix-en-Provence 1999, pp. 63-102.

T. Granier, *Conflitti, compromessi e trasferimenti di reliquie nel Mezzogiorno latino del secolo IX*, in «Hagiografica», XIII (2006), pp. 33-71.

T. Granier, *La captivité de l'empereur Louis II à Bénévent (13 août-17 septembre 871) dans les sources des IXe-Xe siècles: l'écriture de l'histoire, de la fausse nouvelle au récit exemplaire*, in *Faire l'événement au Moyen Âge*, a cura di C. Carozzi - H. Taviani-Carozzi, Aix-en-Provence 2007, pp. 13-39.

T. Granier, *Topografia religiosa e produzione agiografica nei secoli IX e X*, in *Napoli nel Medioevo. Segni culturali di una città*, Galatina (LE) 2007, pp. 41-58.

T. Granier, *La difficile genèse de l'Histoire des évêques de Naples (milieu du IXe-début du Xe siècle): le scriptorium et la famille des évêques*, in *Liber, Gesta, histoire. Écrire l'histoire des évêques et des papes de l'Antiquité au XXIe siècle*, a cura di F. Bougard - M. Sot, Turnhout 2009, pp. 265-282.

T. Hodgkin, *Italy and her Invaders*, vol. III, London 1885.

B. Kreutz, *Before the Normans. Southern Italy in the Ninth and Tenth Centuries*, Philadelphia 1991.

P. Lamma, *Il mondo bizantino in Paolo Diacono*, in P. Lamma, *Oriente e Occidente nell'alto Medioevo. Studi storici sulle due civiltà*, Padova 1968, pp. 197-214.

V. La Salvia, *Giovanni (duca)*, in *Dizionario biografico degli Italiani*, 55, Roma 2000, pp. 515-517.

P. Lemerle, *Thomas le Slave*, in «Travaux et Memoires», 1 (1965), pp. 255-297.

V. Lucherini, *La cattedrale di Napoli. Storia, architettura, storiografia di un monumento medievale*, Roma 2009.

F. Luzzati Laganà, *Il ducato di Napoli*, in *Il Mezzogiorno dai Bizantini a Federico II*, Storia d'Italia diretta da G. Galasso, III, Torino 1983, pp. 327-338.

F. Luzzati Laganà, *Tentazioni iconoclaste a Napoli*, in «Rivista di studi bizantini e neo-ellenici», n. s., 26 (1989), pp. 99-115.

D. Mallardo, *Storia antica della Chiesa di Napoli. Le fonti*, Napoli 1943.

D. Mallardo, *Il calendario marmoreo di Napoli*, Roma 1947.

D. Mallardo, *Giovanni Diacono napoletano. I. La vita*, in «Rivista di storia della Chiesa in Italia», II, 3 (1948), pp. 317-337.

D. Mallardo, *Giovanni Diacono napoletano. La continuazione del «Liber Pontificalis»*, in «Rivista di storia della Chiesa in Italia», IV, 3 (1950), pp. 325-358.

J.-M. Martin, *Hellénisme politique, hellénisme religieux et pseudo-hellénisme à Naples (VIe-XIIe siècle)*, in «Nea Rhome. Rivista di ricerche bizantinistiche», 2 (2005), pp. 59-77.

J.-M. Martin, *Les Bains dans l'Italie méridionale au Moyen Age (VIIe-XIIe siècle)*, in *Bains curatifs et bains hygiéniques en Italie de l'antiquité au Moyen-Âge*, a cura di M. Guerin-Beauvois - J.-M. Martin, Roma 2007, pp. 53-78.

J.-M. Martin, *Le fortificazioni dal secolo V al XIII*, in *Napoli nel Medioevo. Segni culturali di una città*, Galatina (LE) 2007, pp. 21-40.

J. Martínez Pizarro, *Writing Ravenna. The Liber Pontificalis of Andrea Agnellus*, Ann Arbor 1995.

G. Morin, *Pour la topographie ancienne du Mont-Cassin*, in «Revue Bénédictine», 35 (1908), pp. 57-76.

G. Musca, *L'emirato di Bari. 847-871*, Bari 1967².

M. Napoli, *La città*, in *Storia di Napoli*, II, 2, Napoli 1969, pp. 737-772.

J. F. Niermeyer, *Mediae Latinitatis Lexicon Minus*, Leiden 1976.

T. F. X. Noble, *La repubblica di San Pietro. Nascita dello Stato pontificio (680-825)*, Genova 1998 (traduzione di *The Republic of St. Peter. The Birth of the Papal State, 680-825*, Philadelphia 1984).

M. Oldoni, *Anonimo salernitano del X secolo*, Napoli 1972.

M. Oldoni, *La cultura latina*, in *Storia e civiltà della Campania. Il Medioevo*, a cura di G. Pugliese Caratelli, Napoli 1992, pp. 295-400.

G. Ostrogorsky, *Storia dell'impero bizantino*, Torino 1968 (traduzione di *Geschichte des Byzantinischen Staates*, München 1963).

M. Pagano, *La basilica di Santa Fortunata a Liternum*, in «Rivista di Archeologia Cristiana» 65 (1989), pp. 179-188.

V. Prigent, *La carrière du tourmarque Euphèmios, basileus des Romains*, in *Histoire et culture dans l'Italie byzantine. Acquises et nouvelles recherches*, a cura di A. Jacob, J.-M. Martin e G. Noyé, Roma 2006, pp. 279-317.

Prosopographie chrétienne du Bas-Empire, 2. *Prosopographie de l'Italie chrétienne, 313-604*, a cura di C. Pietri - L. Pietri, Roma 1999.

A. Rossi, *Delle cause della sollevazione di Eufemio contro la dominazione bizantina in Sicilia*, Bologna 1905.

M. Rotili, *Arti figurative e arti minori*, in *Storia di Napoli*, II, 2, Napoli 1969, pp. 877-986.

C. Russo Mailler, *La politica meridionale di Ludovico II e il «Rythmus de captivitate Ludovici imperatoris»*, in «Quaderni Medievali», XIV (1982), pp. 6-27.

C. Russo Mailler, *Il ducato di Napoli*, in *Storia del Mezzogiorno*, II. *Il Medioevo*, 1, Napoli 1988, pp. 343-405.

F. Savio, *Giovanni Diacono, biografo dei vescovi napoletani*, in «Atti della Reale Accademia delle scienze di Torino», L (1914-1915), pp. 304-318.

V. Scancamarra, *San Severo, vescovo a Napoli. Le sue basiliche*, Napoli 1996.

U. Schwarz, *Amalfi nell'alto Medioevo*, Salerno-Roma 1980.

A. Sennis, *Fortunato*, in *Dizionario biografico degli Italiani*, 49, Roma 1997, pp. 232-234.

P. Skinner, *Women in Medieval Italian Society 500-1200*, Harlow 2001.

M. Sot, *Arguments hagiographiques et historiographiques dans le «gesta episcoporum»*, in *Hagiographie, cultures et sociétés. IVe-XIIe siècles* (Actes du Colloque organisé à Nanterre et à Paris, 2-5 mai 1979), Paris 1981, pp. 95-104.

M. Sot, *Gesta episcoporum. Gesta abbatum*, Turnhout 1981.

F. M. Stasolla, *Pro labandis curis. Il balneum tra tarda antichità e Medioevo*, Roma 2002.

F. Strazzullo, *La Chiesa univ. dei SS. Marcellino e Festo*, Napoli 1956.

F. Strazzullo, *La Chiesa dei SS. Apostoli*, Napoli 1959.

W. Treadgold, *The Byzantine Revival: 780-842*, Stanford 1988.

A. A. Vasiliev, *Bysance et les Arabes*, Bruxelles 1935.

A. Venditti, *L'architettura dell'alto Medioevo*, in *Storia di Napoli*, II, 1, Napoli 1969, pp. 773-876.

M. Villani, *L'antroponimia nelle carte napoletane, sec. X-XII*, in «Mélanges de l'Ecole Française de Rome», 107, 1 (1995), pp. 345-359.

G. Vitolo, *Città e coscienza cittadina nel Mezzogiorno medievale (secc. IX-XIII)*, Salerno 1990.

V. Von Falkenhausen, *La Campania tra Goti e Bizantini*, in *Storia e civiltà della Campania. Il Medioevo*, a cura di. G. Pugliese Caratelli, Napoli 1992, pp. 7-36.

A. Vuolo, *Giovanni Cimiliarca agiografo napoletano*, in «Campania Sacra», 18/1 (1987), pp. 1-20.

A. Vuolo, *Agiografia beneventana*, in *Longobardia e longobardi nell'Italia meridionale. Le istituzioni ecclesiastiche*, Atti del II Convegno internazionale di studi promosso dal Centro di Cultura dell'Università Cattolica del Sacro Cuore, Benevento 29-31 maggio 1992, a cura di G. Andenna - G. Picasso, Bibliotheca erudita. Studi e documenti di Storia e Filologia, 11, Milano 1996, pp. 199-237.

PARTE II

GESTA EPISCOPORUM NEAPOLITANORUM.
PRIMA PARS
STORIA DEI VESCOVI NAPOLETANI
PRIMA PARTE

[GESTA EPISCOPORUM NEAPOLITANORUM.
PRIMA PARS]

[2.] I. Aspren episcopus.

Fuit amator pauperum et tante beatitudinis, ut omnem hominem a maiore usque ad minimum libenter exciperet et[a] per dominici talentis acceptionem populos ad viam salutis cotidie evocaret.

II. Epithimitus episcopus.

Prioris exempla sequens, distributo talenti munere, cum lucro Domino consignavit. // (f. 5ᵛ)

III. Maro episcopus.

Cum his prędecessoribus suis ob sanctitatis meritum in ecclesia Stephania translati esse videntur[b].

IV. Probus episcopus.

Omni probitate[c] conspicuus, nominis sui operibus copulans, placida morte quievit.

V. Paulus episcopus.

Mirabilis in opere, mirabilis in factis, mitis in prosperis, // (f. 6ʳ) prudens in adversis; post diuturna tempora gaudens et ipse migravit ad Dominum.

VI. Acrippinus[d] episcopus.

Amator patrie, defensor civitatis, qui cotidie pro nobis suis famulis exorare non cessat. Hic signis multis et miraculis coruscat. Plurima auxit Domino turba credentium et gremio sancte matris ecclesię collocavit. // (f. 6ᵛ) Unde merito audire meruit: "Euge,

---

[a] ei *C*. [b] *In C una lettera è stata cancellata tra* e *e* n *di* videntur. videtur *Capasso*. [c] *C corregge* provitate *in* probitate. provitate *Waitz*. [d] Agrippinus *Waitz Capasso*.

[*] Come si è già sottolineato nell'introduzione, la maggior parte della prima sezione dei *Gesta episcoporum Neapolitanorum* è costituita da episodi tratti alla lettera da vari testi, soprattutto dalle biografie dei papi, *Le sei età del mondo* di Beda e la *Storia dei Longobardi* di Paolo Diacono. Poiché essi non hanno alcuna attinenza con la storia napoletana, della prima parte dei *Gesta* sono stati riportati soltanto i passi riguardanti i vescovi partenopei, il breve riassunto della *Vita di san Severino* di Eugippo in cui si narra il trasporto a Napoli dei resti del santo, la descrizione dell'epidemia, che colpì la città partenopea nell'ottavo secolo e il brano riguardante l'imperatore bizantino Costantino V, che non è menzionato in nessun'altra fonte.

[1] Nella vita del vescovo di Napoli Atanasio (849-872), scritta probabilmente poco dopo la sua morte, si riferisce che Aspreno era stato ordinato vescovo da san Pietro. *Vita s. Athanasii*, c. 1, p. 118. Partendo da questo nucleo, la leggenda di Aspreno si arricchì nel corso dei secoli di nuovi particolari. Ad esempio, si narra che Pietro, mentre si stava dirigendo a Roma, si fermò a Napoli, dove battezzò Aspreno dopo averlo guarito.

STORIA DEI VESCOVI NAPOLETANI
PRIMA PARTE*

...

[2.] I. Aspreno vescovo.

Egli amò i poveri e fu di una così grande bontà da accogliere volentieri ogni persona, dalla più nobile fino alla più umile e da richiamare ogni giorno, grazie alle particolari doti ricevute dal Signore, la popolazione sulla via della salvezza[1].

II. Epitimito vescovo[2].

Seguendo l'esempio del suo predecessore, dopo avere distribuito a tutti il dono delle sue doti, egli si consegnò con profitto al Signore.

III. Maro vescovo.

Come compenso per la loro santità, egli e i suoi predecessori furono traslati nella chiesa Stefania[3].

IV. Probo vescovo.

Ricco di ogni bontà, dopo avere legato il suo nome a varie opere, egli riposò in placida morte.

V. Paolo vescovo.

Straordinario nelle opere, straordinario nelle azioni, mite nei periodi prosperi e prudente durante quelli avversi, dopo avere vissuto bene per molto tempo, anch'egli migrò al Signore.

VI. Agrippino vescovo.

Egli amò la patria e difese la città. Non smette di intercedere quotidianamente in favore di noi, suoi servitori. Continua a risplendere con molti segni e miracoli. Accrebbe notevolmente il numero di coloro che credono nel Signore e li pose nel grembo della santa madre Chiesa. A buon diritto egli quindi meritò che sentisse dire: "Bene, buon

---

In poco tempo il cristianesimo si diffuse nella città partenopea e i neoconvertiti convinsero Pietro a nominare vescovo Aspreno. In base al nome del protovescovo si è supposto che egli fosse appartenuto a una illustre famiglia consolare della Campania. Fuscono, *Aspreno*, coll. 507-511; Ambrasi, *Il cristianesimo e la Chiesa napoletana*, pp. 652-657; Fiaccadori, *Il Cristianesimo. Dalle origini alle invasioni barbariche*, pp. 145-146; Galdi, *Scritture agiografiche*, pp. 91-92.

[2] Il nome di questo prelato e quello di alcuni dei vescovi successivi – ad esempio, Eustazio ed Efebo – hanno indotto a ipotizzare la presenza di Greci agli inizi della Chiesa di Napoli. Ambrasi, *Il cristianesimo e la Chiesa napoletana dei primi secoli*, p. 657. Epitimito non è ricordato nel calendario marmoreo napoletano che fu inciso verso la metà del nono secolo. Mallardo, *Il calendario marmoreo di Napoli*, p. 43.

[3] Si tratta della cattedrale di Napoli, che fu probabilmente eretta verso la fine del quinto secolo dal vescovo Stefano e dedicata al Salvatore; in ricordo del suo fondatore fu chiamata Stefania. Vedi *Gesta Episcoporum Neapolitanorum*, c. 12 e nota relativa.

serve bone, quia in modico fidelis fuisti, supra multa te constituam; intra in gaudium Domini tui". Denique in ecclesia Stephania translatus, merito cum honore quiescit.

VII. Eusthasius episcopus.

In altario beate Dei genetricis semperque virginis Marię, que dicitur Cosmidi, populi devotio exequentes, conditus est atque translatus. // (f. 7ʳ)

VIII. Ephevus episcopus.

Pulcher corpore, pulchrior mente, plebi Dei sanctissimus prefuit et fideliter ministravit. Ipse vero post quorundam incursionibus translatus deductusque Neapolim, ecclesię Stephanię reconditur.

IX. Fortunatus episcopus.

Sanctissimus extitit vitę, sanctissimis ora//(f. 7ᵛ)tionibus die noctuque indesinenter agens, regna cęlorum, sicut desideravit, adeptus est. Qui sepultus foris urbem quasi ad stadia quattuor. Deinde post longo tempore populi, patrocinia eius petentes, ab ecclesia sui nominis consecrata transferentes, per manus pontificum collocarunt[a] in ecclesia Stephania, partis[b] dextrę introeuntibus, sursum, ubi est oratorium, in caput catatumbę. // (f. 8ʳ)

X. Maximus episcopus.

Ab ineunte aetate sua strenuus et omnimodo moderatus, sancte ecclesiae militavit. Nam et ipse prius in ecclesia beati Fortunati sacerdotis et Christi confessoris est conditus. Nunc vero in oratorio ecclesie Stephanie partis leve introeuntibus sacro altario adeptus exultat.

---

[a]   conlocarunt *Waitz*. [b] *C aggiunge* s *a* parti. parti *Waitz*.

---

[4]   Matteo 25.21.

[5]   Agrippino fu il primo santo patrono di Napoli. A esso fu poi associato san Gennaro. Per un approfondimento sul culto di Agrippino a Napoli nel Medioevo, vedi Ambrasi, *Il cristianesimo e la Chiesa napoletana dei primi secoli*, pp. 658-660; Granier, *Topografia religiosa*, pp. 44-45; e Galdi, *Scritture agiografiche*, p. 83. Agrippino è definito «patrono e difensore della città» in *Vita s. Athanasii*, c. 1, p. 118.

[6]   Le origini di questa chiesa sono ignote. Capasso, *Topografia della città di Napoli nell'XI secolo*, pp. 90-91. Si suppone che S. Maria *ad Cosmedin* sia da identificare nell'odierna S. Maria di Portanova. Venditti, *L'architettura dell'alto Medioevo*, p. 834. Si ipotizza che Eustazio fosse in qualche modo collegato a questa basilica. Ambrasi, *Il cristianesimo e la Chiesa napoletana dei primi secoli*, p. 660.

[7]   Tali caratteristiche furono probabilmente attribuite a Efebo in base al nome che portava. Ambrasi, *Il cristianesimo e la Chiesa napoletana dei primi secoli*, p. 660.

[8]   Il cronista forse si riferisce ai Longobardi che in varie occasioni tentarono di conquistare Napoli.

[9]   Per un approfondimento sul luogo di sepoltura di Efebo, vedi Ebanista, «*in cymiterio foris ab urbe*».

[10]   Si ipotizza che tra Efebo e Fortunato ci fossero stati altri tre vescovi: Marciano, Cosma e Calepodio. Cfr. Ambrasi, *Il cristianesimo e la Chiesa napoletana dei primi secoli*, p. 661.

[11]   Nel passato si sosteneva che Fortunato avesse simpatizzato per l'arianesimo e che fosse stato per questo esiliato dall'imperatore Costante. Gli studiosi più recenti ritengono però tale ipotesi priva di

servo, poiché sei stato fedele nel poco, ti darò autorità su molto; entra nella gioia del tuo Signore"[4]. Traslato nella chiesa Stefania, egli vi giace con l'onore che gli è dovuto[5].

VII. Eustazio vescovo.

Egli fu seppellito e devotamente traslato dalla popolazione nell'altare della chiesa della beata madre di Dio e sempre vergine Maria, che è detta Cosmidi[6].

VIII. Efebo vescovo.

Egli aveva un bel corpo e una mente ancora più bella[7]. Questo santissimo uomo fu a capo del popolo di Dio e si occupò di esso con devozione. In seguito alle incursioni di alcuni[8], fu traslato e portato a Napoli e seppellito nella chiesa Stefania[9].

IX. Fortunato vescovo[10].

Egli condusse una vita santissima. Dicendo incessantemente, giorno e notte, santissime preghiere, ottenne, così come voleva, i regni dei cieli[11]. Fu sepolto fuori della città, a circa quattro stadi[12]. Quindi, dopo molto tempo, la popolazione, che desiderava avere la sua protezione, lo trasferì dalla chiesa consacrata al suo nome[13] e, mediante le mani dei pontefici, lo pose nella chiesa Stefania, nella parte destra per coloro che entrano, in alto, dove c'è l'oratorio, in cima alla catacomba.

X. Massimo vescovo.

Fin dall'inizio della sua vita egli fu al servizio della Santa Chiesa, tenace ed equilibrato in ogni cosa[14]. In un primo momento fu seppellito nella chiesa del beato sacerdote e confessore di Cristo Fortunato. Ora gioisce perché è stato accolto nell'oratorio della chiesa Stefania, nel sacro altare della parte sinistra per coloro che entrano[15].

---

fondamento. Per un approfondimento, vedi Ambrasi, *Il cristianesimo e la Chiesa napoletana dei primi secoli*, p. 672.

[12] Poiché l'autore scrive *ad stadia quatuor*, ritengo che *stadia* indichi l'unità di misura e sia errata l'interpretazione di chi sostiene che la chiesa fosse situata presso uno stadio di epoca romana. Arthur, *Naples, from Roman Town to City-State*, p. 41.

[13] Si suppone che questa chiesa fosse sulla strada che conduceva alla catacomba di san Gennaro. Ambrasi, *Il cristianesimo e la Chiesa napoletana dei primi secoli*, p. 676.

[14] Così come avvenne per altri vescovi, su ordine dell'imperatore Costanzo II, favorevole all'arianesimo, Massimo fu esiliato verso il 355-356 in Oriente, dove morì qualche anno dopo (prima del febbraio 362 quando gli esiliati poterono tornare in patria). Le sue spoglie furono poi portate a Napoli, probabilmente dal vescovo Severo. Ambrasi, *Il cristianesimo e la Chiesa napoletana dei primi secoli*, pp. 674 e 676-677; Fiaccadori, *Il Cristianesimo. Dalle origini alle invasioni barbariche*, p. 156; *Prosopographie chrétienne du Bas-Empire*, 2. *Prosopographie de l'Italie chrétienne, 313-604*, I, pp. 857-858.

[15] Nel 1957 nella cattedrale fu scoperto un altare con una lastra di marmo recante il nome di Massimo e che si ritiene provenga dall'originaria tomba del vescovo. Ambrasi, *Il cristianesimo e la Chiesa napoletana dei primi secoli*, pp. 676-677.

[3.] XI. Zosimus episcopus.

Fuit temporibus Meltiede // (f. 8ᵛ) iam dicti papę, usque ad undecimum Silvestri pape annum, et Constantini imperatoris. Hic sanctus Silvester exilio fuit in monte Serapi et postmodum rediens cum gloria, baptizavit Constantinum augustum, quem curavit Dominus a lepra. Iste primus imperatorum christianus effectus, licentiam dedit christianis libere congregari et ad honorem Christi basilicas construi. // (f. 9ʳ) Ipse autem fecit Romę, ubi baptizatus est, basilicam beati Iohannis baptistę; quique inter alias constructas ecclesias etiam et in urbem Neapolim basilicam fecit, asserentibus multis, quod Sancta Restituta fuisset.

Huius Constantini temporibus heresis Arriana exoritur, Nicenumque concilium trecentorum decem et octo patrum a Constantino ad condemnationem Arrii congregavit // (f. 9ᵛ) et damnaverunt Arrium et Fotinum et Sabellium vel sequaces eorum.

[4.] XII. Severus episcopus sedit annos XLVI, menses II, dies Xl.

Hic fecit basilicas IIII, unam foris urbem iuxta Sanctum Fortunatum et aliam in civitatem mirifice operationis, in cuius absidamᵃ depixit ex musivo Salvatorem cum XII apostolos sedentes, habentes subtus quattuor prophetas, distinctos pretiosis marmorum metallis. Esaias cum // (f. 10ʳ) olive coronam nativitatem Christi et perpetue virginitatis Dei genetricis Marię designare voluit, dicendo: «Fiat pax». Hieremias per uvarum offertionem virtutem Christi et gloriam passionis prefiguratur, cum dicitur: «In virtute tua». Danihel spicas gerens Domini adnuntiatur secundum adventum, in quo omnes boni et mali colliguntur ad iudicium. Propterea dictum est: «Et abundantia». // (f. 10ᵛ) Ezechias proferens manibus rosas et lilias, fidelibus regnum cęlorum denuntians; unde scriptum est: «In turribus tuis». Et enim in rosis sanguis martyrum, in liliis perseverantia confessionis exprimitur.

ᵃ   apsidam *Waitz*.

[16]   Si ipotizza che Zosimo avesse sostituito Massimo, il quale, come si è già sottolineato, era stato esiliato, e che egli fosse rimasto alla guida del vescovado di Napoli per circa sei anni. Secondo un autore antiariano, Zosimo era stato punito da Dio nel seguente modo. Ogni volta che desiderava esercitare le sue funzioni di fronte ai fedeli, la lingua gli rimaneva a penzoloni fuori dalla bocca, come se fosse un bue ansante, e rimaneva in questo stato finché non rinunciava a esercitare le sue funzioni sacerdotali. Alla morte di Massimo, avvenuta in esilio, Zosimo fu probabilmente riconosciuto come il legittimo successore. Forse per tale motivo il suo nome fu accolto nella lista episcopale napoletana. Ambrasi, *Il cristianesimo e la Chiesa napoletana dei primi secoli*, pp. 674-675; Fiaccadori, *Il Cristianesimo. Dalle origini alle invasioni barbariche*, p. 156; *Prosopographie chrétienne du Bas-Empire, 2. Prosopographie de l'Italie chrétienne, 313-604*, II, pp. 2380-2381.

[17]   Silvestro (314-335).

[18]   Costantino governò su tutto l'impero romano dal 324 al 337. In questa prima parte dei *Gesta* la cronologia è spesso errata. Zosimo infatti fu vescovo di Napoli durante il governo di Costanzo II (337-361).

[19]   Sembra che tale chiesa fosse stata edificata agli inizi del quarto secolo, probabilmente per volontà di Costantino, in onore dei santi Apostoli o del Salvatore e che nell'ottavo secolo avesse cambiato il nome in Restituta, perché aveva accolto le reliquie di questa santa. Per un approfondimento e le varie ipotesi su questo edificio, vedi Venditti, *L'architettura dell'alto Medioevo*, p. 792; Fiaccadori, *Il Cristianesimo. Dalle origini alle invasioni barbariche*, pp. 162-163; Ebanista, *«Eodem tempore fecit Constantinus Augustus basilicam in civitatem Neapolim»*.

[3.] XI. Zosimo vescovo[16].

Egli visse ai tempi del suddetto papa Milziade, fino all'undicesimo anno del pontificato di papa Silvestro[17] e del governo dell'imperatore Costantino[18]. San Silvestro fu esiliato sul monte Soratte, dopodiché tornò gloriosamente e battezzò l'augusto Costantino, che il Signore guarì dalla lebbra. Questi fu il primo imperatore a diventare cristiano. Diede ai cristiani il permesso di riunirsi liberamente e costruì alcune basiliche in onore di Cristo. A Roma, dove era stato battezzato, fece la basilica del beato Giovanni Battista. Tra le altre chiese che costruì ci fu anche una basilica nella città di Napoli, che molti dicono fosse quella di santa Restituta[19].

Ai tempi di questo Costantino, comparve l'eresia ariana. Costantino indisse un concilio a Nicea con trecentodiciotto padri per condannare Ario. Questi condannarono Ario, Fotino e Sabellio e i loro seguaci[20].

[4.] XII. Il vescovo Severo sedette sul trono vescovile per 46 anni, 2 mesi e 11 giorni[21].

Questi fece quattro basiliche[22], una fuori della città presso San Fortunato[23] e un'altra in città provvista di una magnifica struttura. Nell'abside di quest'ultima fece ritrarre in un mosaico il Salvatore con i dodici apostoli, che gli sedevano ai lati e che avevano sotto di sé i quattro profeti, decorati da preziose tessere di marmo. Isaia con una corona di ulivo volle simboleggiare la natività di Cristo e la perpetua verginità della madre di Dio Maria, dicendo: "Che sia fatta la pace". Geremia con l'offerta dell'uva rappresenta la virtù di Cristo e la gloria della sua passione, dicendo: "Nella tua virtù". Daniele, che aveva delle spighe, annuncia il secondo avvento del Signore in cui tutti i buoni e i malvagi saranno chiamati in giudizio. Per tale motivo c'è la scritta: "Nell'abbondanza". Ezechia, che mostra nelle mani rose e gigli, annuncia ai fedeli il regno dei cieli; egli perciò recava la scritta: "Nelle tue torri"[24]. Le rose infatti raffigurano il sangue dei martiri e i gigli la perseveranza dei confessori[25].

[20]   Si tratta del primo concilio ecumenico che fu indetto a Nicea nel 325.
[21]   Severo resse la Chiesa di Napoli probabilmente tra il 363/364 e il 409/410. Fu in contatto con sant'Ambrogio e il suo atteggiamento conciliante, che tendeva a evitare i conflitti, gli valse la stima di coloro che ancora professavano il paganesimo. Ambrasi, *Il cristianesimo e la Chiesa napoletana dei primi secoli*, pp. 678 sgg.; Fiaccadori, *Il Cristianesimo. Dalle origini alle invasioni barbariche*, pp. 156-158; *Prosopographie chrétienne du Bas-Empire*, II, p. 2055.
[22]   Si suppone che esse fossero S. Gennaro *extra moenia*, S. Severo alle catacombe, S. Fortunato e S. Giorgio Maggiore. Venditti, *L'architettura dell'alto Medioevo*, p. 804. Al periodo dell'episcopato di Severo è anche attribuita la costruzione del battistero paleocristiano di Napoli. Ambrasi, *Il cristianesimo e la Chiesa napoletana dei primi secoli*, pp. 686 sgg.
[23]   La basilica sepolcrale di san Severo si trovava probabilmente a pochi passi da quella di san Fortunato. Ambrasi, *Il cristianesimo e la Chiesa napoletana dei primi secoli*, p. 683. Per un approfondimento su questo sito, vedi Ebanista, *Gli spazi funerari a Napoli fra tarda antichità e alto medioevo, passim*.
[24]   Le parole attribuite ai profeti sono tratte da Salmi 121.7: «fiat pax in virtute tua et abundantia in turribus tuis (che ci sia pace nella tua virtù e abbondanza nelle tue torri)».
[25]   La basilica di san Giorgio Maggiore, detta Severiana, è situata nell'attuale via di Vicaria vecchia, fu costruita sui resti del tempio di Demetra ed era una delle più grandi basiliche di Napoli. Il mosaico descritto dal cronista non ci è pervenuto. Si è ipotizzato che il riferimento ai profeti fosse un'invenzione dell'autore e che il mosaico in realtà raffigurasse le quattro stagioni. Ambrasi, *Il cristianesimo e la Chiesa napoletana dei primi secoli*, pp. 683-684; Cilento, *La Chiesa di Napoli nell'alto Medioevo*, pp. 676-678; Arthur, *Naples, from Roman Town to City-State*, p. 64.

Prius ipse foris urbem iacuit in ecclesiam sui nominis consecratam. Nunc vero requiescit in ea ipsa ecclesia Neapolim constituta, quem alii Severianam, alii propter oratorium ibi factum Sanctum Georgium vocant[a]. // (f. 11[r])

Fuit autem temporibus Silvestri pape et Constantini augusti et perduravit usque ad Damasum papa, transiliens apostolicos hos, Marcum, Iulium, Liberium, Felicem.

...

[6.] XIII. Ursus episcopus sedit annos IIII.

Fuit autem temporibus Damasi papae et Valentiani augusti.

Ambrosius Mediolanensis ecclesię episcopus ad fidem rectam Italiam convertit. Hilarius episcopus Pictavis moritur.

Ipse vero Ursus episcopus sepultus est in cymiterio foris ab urbe, ubi et beatus requievit Ephevus.

...

XIV. Iohannes episcopus sedit annos XXVII[b].

Hic tante severitatis plenus fuit, ut etiam sanctus Pau//(f. 16[r])linus Nolanę sedis episcopus, sicut in vita sua legitur, eum accersiret atque evocaret[c] ad Christi gloriam intuendam. Post triduum autem deposito corpore, neophitorum pompa prosequente, in eo oratorio, ubi manu sua dicitur condidisse beatissimum martyrem Ianuarium a Marciano sublato, et ipse parte dextra humatus quievit. Nunc in ecclesia Stephania, ubi beatus Fortunatus, similiter parti dextre quiescit. // (f. 16[v])

Fuit autem temporibus Damasi et Siricii papae et Valentiniani et Valentis, Gratiani et Theodosii imperatoribus.

...

---

[a]   *Un'altra mano aggiunge* Et fecit monasterium sancti Martini et sancti Potiti marty.   [b] *Un'altra mano ha aggiunto* XXVII.   [c] vocaret *Waitz*.

---

[26]   Per un approfondimento su Severo e il suo culto a Napoli durante il Medioevo, vedi Scancamarra, *San Severo, vescovo a Napoli* e Galdi, *Scritture agiografiche*, pp. 94-96.

[27]   Nel manoscritto medievale un'altra mano ha aggiunto «Fece il monastero di san Martino e di san Potito martire». Si tratta probabilmente di un'interpolazione. È infatti poco probabile che in quel periodo un monastero fosse stato già intitolato a Martino che era morto nel 397. Cfr. Ambrasi, *Il cristianesimo e la Chiesa napoletana dei primi secoli*, p. 685; Fiaccadori, *Il Cristianesimo. Dalle origini alle invasioni barbariche*, p. 164.

[28]   Costantino morì nel 337 e quindi l'autore forse si riferisce a Costanzo II (337-361).

[29]   Damaso (366-384).

[30]   Marco (336).

[31]   Giulio (337-352).

[32]   Liberio (352-366).

[33]   Felice, che fu successivamente considerato un antipapa, governò dal 355 al 365.

[34]   Orso resse la Chiesa di Napoli probabilmente tra il 411 e il 415. La leggendaria vita di san Severo riferisce che Orso era nipote di Severo. Ambrasi, *Il cristianesimo e la Chiesa napoletana dei primi secoli*, p. 690; *Prosopographie chrétienne du Bas-Empire*, II, p. 2361.

[35]   Valentiniano, imperatore romano d'Occidente (364-375).

In un primo tempo egli giacque nella chiesa fuori della città consacrata al suo nome. Ora, invece, riposa in quella chiesa di Napoli, che alcuni chiamano Severiana, mentre altri San Giorgio[26], a causa dell'oratorio che si trova lì[27].

Fu vescovo ai tempi di papa Silvestro e dell'augusto Costantino[28] fino a papa Damaso[29], passando per gli apostolati di Marco[30], Giulio[31], Liberio[32] e Felice[33].

...

[6.] XIII. Il vescovo Orso sedette sul trono vescovile per 4 anni[34].

Fu vescovo ai tempi di papa Damaso e dell'augusto Valentiniano[35].

Il vescovo della Chiesa milanese Ambrogio convertì alla retta fede l'Italia[36]. Il vescovo di Poitiers, Ilario, morì.

Il vescovo Orso fu sepolto in un cimitero al di fuori della città, dove giace anche Efebo[37].

...

XIV. Il vescovo Giovanni sedette sul trono vescovile per 27 anni[38].

Questi fu così austero che, come si legge nella sua vita, anche san Paolino, vescovo della sede di Nola, andò a cercarlo e lo invitò a occuparsi della gloria di Cristo. Tre giorni dopo che Giovanni ebbe lasciato il suo corpo, fu portato con una processione di neobattezzati in quell'oratorio in cui si dice che egli avesse posto con le sue mani il beatissimo martire Gennaro[39], che era stato portato via da Marciano, e fu sepolto nella parte destra[40]. Ora egli giace nella chiesa Stefania, nella parte destra, dove c'è anche il beato Fortunato.

Fu vescovo ai tempi dei papi Damaso[41] e Siricio[42] e degli imperatori Valentiniano, Valente[43], Graziano[44] e Teodosio[45].

...

---

[36]   Ambrogio (374-397).

[37]   Per un approfondimento su questo cimitero, vedi Ebanista, «*in cymiterio foris ab urbe*», e Ebanista, *Gli spazi funerari a Napoli fra tarda antichità e alto medioevo*, p. 253.

[38]   Secondo una lettera, ritenuta attendibile, del sacerdote Uranio, Giovanni sarebbe morto il 2 aprile del 432. In base a questo dato la durata del suo episcopato riportata dai *Gesta* sarebbe dunque errata. Ambrasi, *Il cristianesimo e la Chiesa napoletana dei primi secoli*, p. 694; *Prosopographie chrétienne du Bas-Empire*, I, p. 1054.

[39]   Si ritiene che il ritrovamento e il trasferimento delle spoglie di san Gennaro nella catacomba che prese il nome del santo martire avessero rappresentato una svolta fondamentale nel culto di questo santo a Napoli. Ambrasi, *Il cristianesimo e la Chiesa napoletana dei primi secoli*, pp. 691 sgg. Per il culto di san Gennaro a Napoli durante il periodo tardo-antico e il Medioevo e relativa bibliografia, vedi Galdi, *Scritture agiografiche*, pp. 83-84.

[40]   Si tratta probabilmente di una località presso Pozzuoli. Ambrasi, *Il cristianesimo e la Chiesa napoletana dei primi secoli*, p. 692.

[41]   Damaso (364-384).

[42]   Siricio (384-399).

[43]   Valente, imperatore romano d'Oriente (364-378).

[44]   Graziano, imperatore romano d'Occidente (375-383).

[45]   Teodosio (379-395).

[8.] XV. Nostrianus episcopus sedit annos XVII[a].

Hic fecit valneum in urbe et alia in gyro aedificia, qui usque hodie // (f. 19[r]) Nostriani valneus vocatur. Qui bonis operibus agens, in Domino requievit. Et sepultus est in ecclesia beati Gaudiosi Christi confessoris, foris urbem euntibus ad Sanctum Ianuarium martyrem in portico sita.

Fuit autem temporibus Anastasi et Innocenti, Zenonis et Bonifatii pontifices Romanorum, et Theodosii et Arcadii et Honorii.

...

[9.] XVI. Timasius episcopus sedit annos XXXI[b].

Fuit autem temporibus Cęlestini et Xysti papae et usque ad eloquentissimum et doctissimum Leonem papa, tenentem imperium Theodosius minor, Arcadii filius[c].

...

XVII. // (f. 23[r]) Felix episcopus sedit annos VIIII, menses III, dies VI.

Fuit temporibus supradicti domini Leoni papae et Mauricii et Valentiniani augustorum.

...

[10.] XVIII. Soter episcopus sedit annos XXI.

Hic ecclesiam catholicam beatorum Apostolorum in civitatem constituit et plevem post sanctum Severum secundus instituit. Qui usque nunc Domino propitio sedole

---

[a]   *Un'altra mano aggiunge* XVII.   [b]   *Un'altra mano aggiunge* XXXI.   [c]   Theodosio minore, Arcadio filius *Waitz Capasso. C corregge* Theodosio minore Arcadio filius *in* Theodosius minor, Arcadii filius.

[46]   Nostriano è attestato essere ancora vivo tra il 445 e il 449. *Prosopographie chrétienne du Bas-Empire*, II, pp. 1543-1544. Nonostante i *Gesta* riferiscano che Nostriano rimase in carica per 17 anni (432-449), D. Ambrasi suppone che egli fosse morto tra il 452 e il 465. Ambrasi, *Il cristianesimo e la Chiesa napoletana dei primi secoli*, p. 708.
[47]   La costruzione di bagni e terme da parte dei vescovi del periodo tardoantico non era inusuale. Il ricordo di questi bagni rimase a lungo. In documenti d'archivio risalenti al periodo tra il decimo e il tredicesimo secolo, questa zona era chiamata *vicus Nostrianus* e *platea Nostriana*. I bagni di Nostriano si trovavano presso l'attuale via san Gregorio Armeno. Ambrasi, *Il cristianesimo e la Chiesa napoletana dei primi secoli*, p. 708; Fiaccadori, *Il Cristianesimo. Dalle origini alle invasioni barbariche*, p. 162; Martin, *Les Bains dans l'Italie méridionale*, pp. 58-59.
[48]   Il vescovo di Abitine (odierna Tunisia), Gaudioso, faceva parte del gruppo di fuoriusciti che aveva abbandonato l'Africa nordoccidentale nel quinto secolo per sfuggire alle persecuzioni dei Vandali e aveva trovato rifugio in Campania. Schipa, *Il Mezzogiorno d'Italia anteriormente alla monarchia*, p. 15; Ambrasi, *Il cristianesimo e la Chiesa napoletana dei primi secoli*, pp. 699 sgg.
[49]   Per un approfondimento su questo sito, vedi Ebanista, *Gli spazi funerari a Napoli fra tarda antichità e alto medioevo*, pp. 253 e 260.
[50]   Anastasio (399-401).
[51]   Innocenzo (401-417).
[52]   Il nome corretto è Zosimo (417-418).
[53]   Bonifacio (418-422).
[54]   Teodosio (379-395) stabilì che alla sua morte l'impero fosse diviso tra i suoi due figli. Ad Arcadio (395-408) spettò la parte orientale, mentre a Onorio (395-423) quella occidentale.
[55]   Di questo vescovo si conosce soltanto il nome. Il numero di anni di vescovado è ritenuto inattendibile. Ambrasi, *Il cristianesimo e la Chiesa napoletana dei primi secoli*, p. 713; *Prosopographie chrétienne du Bas-Empire*, II, p. 2203.

[8.] XV. Il vescovo Nostriano sedette sul trono vescovile per 17 anni[46].

Questi fece in città un bagno e vi costruì intorno altri edifici, che ancora oggi è chiamato il bagno di Nostriano[47]. Avendo compiuto buone azioni, egli giacque presso il Signore. Fu sepolto nella chiesa del beato confessore di Cristo Gaudioso[48], situata in un portico fuori della città presso San Gennaro martire[49].

Fu vescovo ai tempi dei pontefici romani Anastasio[50], Innocenzo[51], Zenone[52] e Bonifacio[53] e degli imperatori Teodosio, Arcadio e Onorio[54].

...

[9.] XVI. Il vescovo Timasio sedette sul trono vescovile per 31 anni[55].

Fu vescovo ai tempi dei papi Celestino[56] e Sisto[57] e fino all'eloquentissimo e dottissimo papa Leone[58], mentre reggeva l'impero Teodosio il giovane[59], figlio di Arcadio[60].

...

XVII. Il vescovo Felice sedette sul trono vescovile per 9 anni, 3 mesi e 6 giorni[61].

Fu vescovo ai tempi del già menzionato sua signoria papa Leone e degli augusti Maurizio[62] e Valentiniano[63].

...

[10.] XVIII. Il vescovo Soter[64] sedette sul trono vescovile per 21 anni[65].

In città egli fece la chiesa cattolica dei beati Apostoli[66] e fu il secondo, dopo san Severo, a istituire una pieve[67]. Grazie a Dio, egli non ha smesso fino a oggi di rivolgere incessante-

---

[56] Celestino (422-432).

[57] Sisto III (432-440).

[58] Leone (440-461).

[59] Teodosio II (408-450).

[60] Arcadio (395-408).

[61] Anche di questo presule si conosce solamente il nome e si ritiene che la durata del suo episcopato sia poco attendibile. Ambrasi, *Il cristianesimo e la Chiesa napoletana dei primi secoli*, p. 713; *Prosopographie chrétienne du Bas-Empire*, I, p. 777.

[62] Si tratta probabilmente di Marciano, imperatore romano d'Oriente (450-457).

[63] Valentiniano III, imperatore romano d'Occidente (425-455).

[64] Si ipotizza che la leggenda del patrocinio di san Gennaro su Napoli avesse avuto origine durante il vescovado di Soter. In quel periodo, grazie all'intercessione del santo, sarebbe infatti cessata un'eruzione del Vesuvio. Ambrasi, *Il cristianesimo e la Chiesa napoletana dei primi secoli*, p. 716.

[65] Il nome di Soter figura tra coloro che avevano partecipato al concilio celebrato a Roma nel 465. Si suppone che avesse retto la Chiesa di Napoli tra il 457 e il 492. Ambrasi, *Il cristianesimo e la Chiesa napoletana dei primi secoli*, p. 713; *Prosopographie chrétienne du Bas-Empire*, II, p. 2099. Soter non è menzionato nel calendario marmoreo napoletano. Cfr. Mallardo, *Il calendario marmoreo di Napoli*, p. 43.

[66] Anche la basilica dei santi Apostoli fu costruita sulle rovine di un tempio antico. A causa della sua mancata menzione nei documenti del periodo ducale, si ritiene che la sua importanza fosse notevolmente diminuita a partire dall'ottavo secolo. Cfr. Strazzullo, *La Chiesa dei SS. Apostoli*, p. 22; Cilento, *La Chiesa di Napoli nell'alto Medioevo*, p. 678; Venditti, *L'architettura dell'alto Medioevo*, pp. 830-832.

[67] Tale particolare ha indotto a supporre che Soter avesse istituito una congregazione di sacerdoti adibiti al culto nella basilica. Ambrasi, *Il cristianesimo e la Chiesa napoletana dei primi secoli*, p. 713.

laudes Christo referre non cessat[a]. Humatus autem in ecclesia est atque translatus, quę et Stephania nuncupatur. Fuit autem temporibus Hilarii, Simplici atque Felicis Romanorum antistitum et Leonis augusti. // (f. 26[r])

…

Huius finitis temporibus <inter>[b] Odoacar, qui in Italia per aliquot iam annos regnabat, et Feletheum, qui // (f. 27[r]) et Feva dictus est, Rugorum regem, magnarum inimicitiarum fomes exarsit. Qui Feletheus illis diebus ulteriorem Danubii ripam incolebat, quam a Norici finibus idem Danubius separat. In his Noricorum[c] finibus beati tunc erat Severini cęnobium, qui omni abstinentię sanctitate pręditus, multis iam erat virtutibus clarus. Qui cum isdem in locis ad vitę usque metas habitasset, <nunc tamen eius corpusculum Neapolim retinet>[d]. Hunc sepius, de quo diximus, Feletheum eiusque coniugem, cui voca// (f. 27[v])bulum Gisa[e] fuit, ut ab iniquitate[f] quiesceret[g], verbis cęlestibus monuit. Quibus pia verba spernentibus, hoc quod eis postmodum contigit longe ante futurum prędixit[h].

[11.] XVIIII. Victor episcopus sedit annos XI, menses X.

Hic fecit basilicas duas foris civitatem Neapolim, unam longius ab urbe ad miliarium unum, ante ecclesias beati Ianuarii martyris et sancti Agrippini confessoris, ad nomen beati Stephani lęvitae // (f. 28[r]) et martyris et aliam[i] in medio itinere, modicum discreta a portico euntibus partis sinistrae, ad nomen beatę Eufimię martyris dedicavit. In qua et ipse sepultus quiescit.

Fuit autem temporibus Gelasii papę et Zenonis augusti.

…

Igitur Ferderuchus inmemor contestationis, et comperta beati Severini morte, abrasis omnibus monasterii rebus[j], parietes tantum, quos Danubio non potuit transferre, dimisit. Moxque[k] in eum ultio denuntiata pervenit. Nam intra mensis spatium a Frederico, fratris filio, interfectus, prędam pariter amisit et vitam.

---

[a] cessant *Waitz*. [b] *Così Pauli Diaconi Historia Langobardorum, I, 19. Waitz*. [c] Nuricorum *Waitz*. Noricorum *Pauli Diaconi Historia Langobardorum, I 19*. [d] *Così Pauli Diaconi Historia Langobardorum, I, 19*. [e] *Così Pauli Diaconi, Historia Langobardorum, I, 19*. Giso *C Waitz Capasso*. [f] *C aggiunge* u *ad* iniqitate. [g] quiescerent *Pauli Diaconi Historia Langobardorum, I, 19*. [h] Praedixit *Waitz Capasso*. Odoacar – prędixit *Pauli Diaconi Historia Langobardorum, I, 19*. [i] alia *Waitz*. [j] Ferderuchus autem immemor contestationis et praesagii sancti viri abrasis omnibus monasterii rerum *Eugippe, Vie de saint Séverin, c. 44, 2. Tale fonte inizia questo paragrafo in questo modo:* Ferderuchus vero beati Severini morte comperta. [k] Sed mox *Eugippe, Vie de saint Séverin, c. 44, 2*.

[68] B. Capasso ritiene che il testo sia mutilo e ipotizza che la lezione corretta sia: «Humatus autem in ecclesia <, quam ipsam fecerat,> est atque translatus <in ecclesiam Salvatoris>, quę et Stephania nuncupatur (Fu inumato nella chiesa che aveva fatto e traslato nella chiesa del Salvatore che è anche chiamata Stefania)».

[69] Ilario (461-468).

[70] Simplicio (468-483).

[71] Felice III (483-492).

[72] Leone, imperatore romano d'Oriente (457-474).

[73] Dopo avere deposto nel 476 l'imperatore d'Occidente Romolo Augusto e avere inviato le insegne imperiali a Costantinopoli, Odoacre governò l'Italia fino al 489. Fu ucciso dal re degli Ostrogoti, Teodorico, nel 493.

[74] Questo conflitto avvenne all'incirca nel 487.

mente lodi a Cristo. Fu traslato e inumato nella chiesa, che è chiamata Stefania[68]. Visse ai tempi dei vescovi romani Ilario[69], Simplicio[70] e Felice[71] e dell'augusto Leone[72].

…

Dopo i tempi di costoro, tra Odoacre, che regnava ormai da alcuni anni in Italia[73], e il re dei Rugi Feleteo, detto anche Feva, scoppiò una grande ostilità[74]. In quei giorni Feleteo viveva sulla riva più lontana del Danubio, che lo stesso Danubio separa dal territorio del Norico. Nel territorio del Norico c'era allora il cenobio del beato Severino, che, reso santo da ogni astinenza, era già famoso per le sue virtù[75]. Egli visse in quei luoghi fino alla fine della sua vita, ma il suo corpo si trova ora a Napoli[76]. Egli aveva molto spesso ammonito con parole ispirate da Dio questo Feleteo, di cui abbiamo detto, e sua moglie, che si chiamava Gisa, affinché desistessero dalle iniquità. Poiché essi avevano disprezzato le sue pie parole, egli predisse, molto prima che avvenisse, quello che sarebbe poi loro accaduto[77].

[11.] XVIII. Il vescovo Vittore sedette sul trono vescovile per 11 anni e 10 mesi[78].

Egli fece due basiliche al di fuori della città di Napoli, una, a un miglio dalla città, davanti alle chiese del beato martire Gennaro e del santo confessore Agrippino, la dedicò al beato Stefano levita e martire[79], l'altra, che si trova a metà strada e che è leggermente separata da un portico per coloro che passano dalla parte sinistra, la dedicò alla beata martire Eufemia[80]. Vittore giace sepolto in quest'ultima.

Visse ai tempi di papa Gelasio[81] e dell'augusto Zenone[82].

…

Ferderuco allora, immemore delle preghiere pressanti, come seppe della morte del beato Severino, saccheggiò tutti i beni del monastero, lasciando soltanto le mura del monastero che non poteva portare al di là del Danubio. Ma la punizione che era stata annunciata giunse subito. Un mese dopo egli fu infatti ucciso da Federico, figlio di suo fratello, perdendo così al tempo stesso il bottino e la vita.

[75] Dopo un periodo trascorso in Oriente da eremita, Severino (ca. 410-482) si recò nel Norico, corrispondente all'incirca alla parte orientale dell'odierna Austria, dove predicò il Cristianesimo e difese in più occasioni le popolazioni locali dai barbari.

[76] I resti di san Severino furono portati a Napoli nel 488 da alcuni suoi discepoli tra i quali c'era Eugippo che scrisse la vita del santo.

[77] Brano tratto da Pauli Diaconi *Historia Langobardorum*, I, 19, che prosegue narrando come Odoacre avesse sconfitto i Rugi e ucciso Feleteo.

[78] Vittore è attestato tra il 492 e il 495/6. Si ipotizza che sia morto tra il 496 e il 499. Durante il suo vescovado giunsero a Napoli le reliquie di san Severino. Ambrasi, *Il cristianesimo e la Chiesa napoletana dei primi secoli*, pp. 717-720; *Prosopographie chrétienne du Bas-Empire*, II, pp. 2274-2275.

[79] Si suppone che questa basilica fosse stata costruita in onore del santo protomartire, che era venerato presso coloro che erano fuggiti dall'Africa nordoccidentale in seguito alle persecuzioni anticattoliche dei Vandali. Ambrasi, *Il cristianesimo e la Chiesa napoletana dei primi secoli*, pp. 716-717.

[80] S. Eufemia sorse presso la basilica di san Fortunato. Si ritiene che l'intitolazione a Eufemia sia da porre in relazione col quarto concilio ecumenico di Calcedonia, che fu celebrato nel 451 nella basilica di sant'Eufemia e nel quale ebbe un importante ruolo il sacerdote napoletano Basilio. A partire da quella data la santa divenne il simbolo dell'ortodossia cattolica e in Italia le furono dedicate numerose chiese. Ambrasi, *Il cristianesimo e la Chiesa napoletana dei primi secoli*, p. 716.

[81] Gelasio (492-496).

[82] Zenone (474-475 e 476-491).

Cumque generalis transmigratio provenisset, // (f. 29[r]) doctoris prȩcepti non inmemores, venerabilis presbyter Lucillus[a] cum cuncta congregatione transferentes corpus eius, iuxta vaticinium prȩdicentis: «Post mortem meam Deus visitavit vos, et asportate ossa mea hinc vobiscum»[b], ad castellum montem Feletem, multis emensis regionibus, perduxerunt[c].

Atque ex rogatu inlustris femine Barbariae, cum[d] sancti Gelasii sedis Romanae // (f. 29[v]) pontificis auctoritate, et, Neapolitano populo exequiis reverentibus occurrente, in castello Lucullano per manus sancti Victoris episcopi in mausileo[e], quod prȩdicta femina condidit, collocatum est[f], residente ibidem Marciano venerabili presbytero cum sancta eius congregatione.

...

[12.] XX. Stephanus episcopus sedit annos XV, menses II.

Hic inter alias bonitatis studia fecit basilicam ad nomen Salvatoris, copulatam cum // (f. 30[v]) episcopio, quae usitato nomine Stephania vocatur.

Fuit autem temporibus Anastasii et Symmachi[g] Romanorum antistitum[h] atque Anastasii augusti.

...

[14.] XXI. Pomponius episcopus sedit annos XXVIII, dies X.

Hic fecit basilicam intra urbem Neapolim ad nomen sancte Dei genetricis semperque virginis Mariae, quae dicitur ecclesiȩ maioris, grandi opere constructam.

---

[a] Cuius precepti non immemor venerabilis noster presbyter Lucillus *Eugippe, Vie de saint Séverin, c. 44, 5.* [b] Visitatione visitabit vos Deus: tollite ossa mea vobiscum *Eugippe, Vie de saint Séverin, c. 40, 5.* [c] sancti itaque corpusculum ad castellum nomine Montem Feletrem † Mulsemensis regionis apportatum est *Eugippe, Vie de saint Séverin, c. 44, 7.* [d] Tunc *Eugippe, Vie de saint Séverin, c. 46, 2.* [e] mausoleo *Eugippe, Vie de saint Séverin, c. 46, 2.* [f] sancti Gelasii - collocatum est *Eugippe, Vie de saint Séverin, c. 46, 2.* [g] Symachi *Waitz.* [h] antistites *Waitz.*

[83] L'autore sintetizza un ampio brano della *Vita di Severino* in cui si racconta che, in seguito ai continui saccheggi, la popolazione di origine romana lasciò la zona presso il Danubio per recarsi in Italia. Eugippe, *Vie de saint Séverin*, c. 44.

[84] Ossia san Severino.

[85] Cfr. Genesi 50.25.

[86] Non si è potuto identificare questa località. Alcuni hanno proposto San Leo, presso San Marino. Eugippe, *Vie de saint Séverin*, pp. 290-291, nota 3.

[87] In base al fatto che nel Castro Lucullano era stato esiliato Romolo Augusto, si è ipotizzato che Barbara fosse la madre dell'ultimo imperatore romano d'Occidente. Hodgkin, *Italy and her Invaders*, vol. III, pp. 190-191.

[88] Il Castro Lucullano sorgeva su un'area in cui si trovava un edificio fatto costruire da Licinio Lucullo (c. 106 – c. 57 AC) ed era costituito da un'ampia zona fortificata posta sul colle di Pizzofalcone. Napoli, *La città*, p. 768; Arthur, *Naples, from Roman Town to City-State*, pp. 69-70; Capone, *La collina di Pizzofalcone nel Medioevo*; Martin, *Le fortificazioni dal secolo V al XIII*, pp. 30 sgg.

[89] L'autore riassume un'altra parte della *Vita di san Severino*. Cfr. Eugippe, *Vie de saint Séverin*, c. 46. Sotto la guida di Eugippo i discepoli di Severino fondarono nel castro lucullano un monastero dedicato al santo che divenne un famoso centro culturale in cui furono conservate e copiate le opere di numerosi autori classici. Schipa, *Il Mezzogiorno d'Italia anteriormente alla monarchia*, pp.15-16; Cilento, *La cultura e gli inizi dello studio*, pp. 525 sgg.

Ci fu quindi un'emigrazione in massa[83] e, non dimenticando le indicazioni del sapiente[84], secondo quanto questi aveva in precedenza predetto, «dopo la mia morte, Dio vi visiterà e portate con voi le mie ossa via da questo luogo»[85], il venerabile prete Lucillo e tutta la congregazione portarono il suo corpo, dopo avere attraversato molte regioni, nel castello di Montefelete[86].

Su richiesta dell'illustre donna Barbara[87] e con l'autorizzazione del santo pontefice della sede romana, Gelasio, alla presenza della popolazione di Napoli accorsa al Castello Lucullano[88] per assistere a quelle illustri esequie, il corpo del santo fu posto dalle mani del santo vescovo Vittore nel mausoleo che la suddetta donna aveva costruito; in quel luogo risiedette il venerabile prete Marciano con la sua santa congregazione[89].

...

[12.] XX. Il vescovo Stefano sedette sul trono vescovile per 15 anni e 2 mesi[90].

Tra le buone azioni che compì, egli fece la basilica del Salvatore, che fu unita all'episcopio e che è di solito chiamata Stefania[91].

Fu vescovo ai tempi dei vescovi romani Anastasio[92] e Simmaco[93] e dell'augusto Anastasio[94].

...

[14.] XXI. Il vescovo Pomponio sedette sul trono vescovile per 28 anni e 10 giorni[95].

All'interno della città di Napoli egli fece con grandi lavori una basilica dedicata al nome della santa madre di Dio e sempre vergine Maria, che è detta chiesa maggiore[96].

---

[90] La prima chiara attestazione di Stefano risale al concilio romano indetto da papa Simmaco nel marzo del 499. *Prosopographie chrétienne du Bas-Empire*. II, pp. 2110-2111. Si suppone che Stefano fosse morto nel 513/514. Ambrasi, *Il cristianesimo e la Chiesa napoletana dei primi secoli*, p. 726.

[91] Si tratta di una delle due chiese cattedrali che si ritiene esistessero a Napoli. Essa fu eretta verso la fine del quinto secolo dal vescovo Stefano e dedicata al Salvatore. Per differenziarla dall'altra, fondata in epoca costantiniana e intitolata a santa Restituta nel nono secolo quando vi furono traslate da Ischia le reliquie della martire africana (*Gesta episcoporum Neapolitanorum*, c. 3; Russo Mailler, *Il ducato di Napoli*, p. 391), fu chiamata Stefania in ricordo del suo fondatore. Distrutta varie volte da incendi, essa subì un forte rifacimento in epoca angioina. Le due basiliche cattedrali, congiunte da un quadriportico, furono poi incorporate nel Duomo. Ambrasi, *Il cristianesimo e la Chiesa napoletana dei primi secoli*, p. 726; Venditti, *L'architettura dell'alto Medioevo*, pp. 79 sgg.; Cilento, *La Chiesa di Napoli nell'alto Medioevo*, pp. 674-676. Per una ricostruzione del complesso cattedrale, vedi Arthur, *Naples, from Roman Town to City-State*, p. 61. L'esistenza di due cattedrali è stata invece negata da Lucherini, *La cattedrale di Napoli*.

[92] Anastasio II (496-498).

[93] Simmaco (498-514).

[94] Anastasio (491-518).

[95] Durante il vescovado di Pomponio, nel 536, in occasione della guerra gotico-bizantina, Napoli fu espugnata dalle truppe bizantine, che saccheggiarono la città e uccisero un gran numero di abitanti. Tra le vittime ci fu forse anche il prelato partenopeo. Ambrasi, *Il cristianesimo e la Chiesa napoletana dei primi secoli*, p. 728; Von Falkenhausen, *La Campania tra Goti e Bizantini*, p. 10; *Prosopographie chrétienne du Bas-Empire*, II, p. 1812.

[96] La basilica di santa Maria Maggiore, detta Pomponiana, era stata eretta su rovine romane. Si ipotizza che fosse stata edificata per celebrare il centenario del terzo concilio ecumenico, tenutosi a Efeso nel 431, in cui fui furono condannate le posizioni che negavano che Maria fosse la madre di Dio. L'attuale chiesa barocca situata in via dei Tribunali non preserva alcun elemento dell'originale basilica. Secondo una

Qui fuit temporibus Hormisdae papae et Iohannis, Felicis et Bonifatii, beatorum apostolicorum, necnon et Anastasii et Iustini augustis.

...

[16.] XXII. Iohannes episcopus Mediocris // (f. 39^r) sedit annos XX, dies XI.

Hic absidam ecclesię Stephaniae labsam ex incendio reformavit. In quem ibidem ex musivo depixit transfigurationem domini nostri Ihesus^a Christi summe operationis. Fecit et basilicam beati Laurenti levitę et martyris mirificis constructionibus digestam. Qui etiam quasi ad lineam omne stratum ex marmorum crustis ordinatum, placabile oculis omnium videtur^b. // (f. 39^v)

Fuit autem temporibus Iohannis, Agapiti, Silverii atque Vigilii pontificibus sanctę apostolicę sedis et Iustini maioris atque Iustiniani augusti.

...

[19.] XXIII. // (f. 44^r) Vincentius^c episcopus sedit annos XXIII.

Hic fecit pręfulgidam basilicam ad nomen beatissimi pręcursoris Iohannis baptistę. Quem amplis ędificiis in gyro distinxit. Fecit et altare, quem cum columnis et cyburi desuper investivit argento. Fecit fara argentea et arcus quattuor^d investitos argento. Fecit baptisterium fontis minoris intus episcopio et accubitum iuxta positum grandi opere depictum. // (f. 44^v)

Fuit autem temporibus Pelagii et Iohannis papę et Iustini minoris, ab ultimo XII Iustinianis anno et usque in initio primis anni Tiberii Constantini.

...

---

^{a} Ihesu *Waitz.* Iesu *Capasso.* ^{b} *C corregge* videntur *in* videtur. videntur *Waitz.* ^{c} *C aggiunge* c a Vinentius. ^{d} *C aggiunge* u e r a qattuo.

leggenda tra le rovine romane si aggirava un demonio che aveva assunto le sembianze di una scrofa e che terrorizzava i Napoletani. Una notte la madre di Dio apparve a Pomponio dicendogli che avrebbe liberato la città da quella malefica presenza se il vescovo avesse fatto edificare una chiesa in suo onore. Capasso, *Topografia della città di Napoli nell'XI secolo*, pp. 82-84; Ambrasi, *Il cristianesimo e la Chiesa napoletana dei primi secoli*, pp. 728-729; Venditti, *L'architettura dell'alto Medioevo*, p. 832; Arthur, *Naples, from Roman Town to City-State*, p. 65.

[97] Ormisda (514-523).
[98] Giovanni (523-526).
[99] Felice IV (526-530).
[100] Bonifacio II (530-532).
[101] Anastasio (491-528).
[102] Giustino (518-527).
[103] Giovanni II resse la Chiesa di Napoli in un periodo antecedente il 558/559 quando il suo successore Vincenzo è attestato. *Prosopographie chrétienne du Bas-Empire*, I, pp. 1072-1073. Non è chiara l'origine del suo appellativo. Tra le varie ipotesi c'è quella che in tale maniera egli volle differenziarsi dal primo vescovo Giovanni. A Giovanni II sono attribuiti vari sermoni. Anche durante il suo episcopato Napoli subì un duro assedio (543). In quell'occasione gli assedianti furono gli Ostrogoti, che costrinsero alla resa la città per fame. Ambrasi, *Il cristianesimo e la Chiesa napoletana dei primi secoli*, p. 731.

Fu vescovo ai tempi di papa Ormisda[97] e dei beati apostoli Giovanni[98], Felice[99] e Bonifacio[100] e degli augusti Anastasio[101] e Giustino[102].

...

[16.] XXII. Il vescovo Giovanni il Modesto sedette sul trono vescovile per 20 anni e 11 giorni[103].

Egli riparò l'abside della chiesa Stefania, che era stata danneggiata da un incendio. In essa fece ritrarre con un mosaico di squisita fattura la trasfigurazione del nostro Signore Gesù Cristo. Fece anche edificare in modo meraviglioso la basilica di san Lorenzo levita e martire[104]. Egli ordinò anche che fosse livellata ogni superficie di marmo in modo che tutti ne apprezzassero la vista.

Fu vescovo ai tempi dei pontefici della santa sede apostolica Giovanni[105], Agapito[106], Silverio[107] e Vigilio[108] e degli augusti Giustino il vecchio[109] e Giustiniano[110].

...

[19.] XXIII. Il vescovo Vincenzo sedette sul trono vescovile per 23 anni[111].

Egli fece una stupenda basilica dedicata al nome del beatissimo precursore Giovanni Battista. L'abbellì con ampi edifici attorno a essa. Fece anche un altare che ricoprì d'argento insieme alle colonne e al ciborio. Fece alcuni candelabri d'argento e quattro archi rivestiti d'argento[112]. All'interno dell'episcopio fece un battistero dotato di un piccolo fonte battesimale e un cenacolo dipinto con grande maestria.

Fu vescovo ai tempi dei papi Pelagio[113] e Giovanni[114] e di Giustino il giovane[115], dalla fine del dodicesimo anno di Giustiniano fino all'inizio del primo anno di Tiberio Costantino[116].

...

[104] San Lorenzo fu costruita su rovine romane nella zona tra via Tribunali e via San Gregorio Armeno. Gli scavi hanno rivelato che aveva tre navate, un nartece e mosaici policromi. Ambrasi, *Il cristianesimo e la Chiesa napoletana dei primi secoli*, pp. 731-733; Venditti, *L'architettura dell'alto Medioevo*, pp. 812-814; Arthur, *Naples, from Roman Town to City-State*, p. 66.

[105] Giovanni II (532-535).

[106] Agapito (535-536).

[107] Silverio (536-537).

[108] Vigilio (537-555).

[109] Giustino (518-527).

[110] Giustiniano (527-565).

[111] La prima attestazione di Vincenzo risale al periodo tra il settembre del 558 e il febbraio del 559. *Prosopographie chrétienne du Bas-Empire.* II, p. 2310.

[112] La basilica di san Giovanni, conosciuta come Vincenziana, fu edificata sul modello di Santa Sofia di Costantinopoli. Anche in questo caso, la maggior parte della chiesa originale è stata distrutta. Ambrasi, *Il cristianesimo e la Chiesa napoletana dei primi secoli*, pp. 733-734; Venditti, *L'architettura dell'alto Medioevo*, pp. 806 sgg.; Arthur, *Naples, from Roman Town to City-State*, p. 66.

[113] Pelagio (556-561).

[114] Giovanni III (561-574).

[115] Giustino II (565-578).

[116] Tiberio Costantino (578-582).

[21.] XXIIII. Redux episcopus sedit annos III, dies XXIIII.

Fuit autem temporibus iam dicti Benedicti papae usque ad exordium Pelagii papae et temporibus Tiberii Constantini. // (f. 49ʳ)

...

[22.] XXV. Demetrius episcopus sedit annos III.

Fuit temporibus Pelagii papę et Tiberii Constantini usque ad exordium Mauricii Tiberii.

...

[23.] XXVI. Fortunatus episcopus sedit annos VII, dies XI.

Hic fuit temporibus predicti beatissimi domini Gregorii papae et Mauricii augusti.

...

[24.] XXVII. Paschasius episcopus sedit annos XIIII, dies VI.

Fuit autem temporibus Sabiniani et Bonifatii seu alii Bonifatii papae et Focae imperatoris.

...

[25.] XXVIII. Iohannes episcopus sedit annos XX, menses VII, dies XIV.

Hic fecit consignatorium alvatorum inter fontes maiores a domino Sotero episcopo digestę et ecclesiam Stephaniam, per quorum baptizati // (f. 55ʳ) ingredientes ianuas a parte leva ibidem in medio residenti offeruntur episcopo et, benedictione accepta, per ordinem egrediuntur parti sinistrę. Id ipsud et in parietibus super columnas depingere iussit. Fuit autem temporibus Deusdedii, Bonifatii[a] et Honorii[b] papae atque Heraclii[c] augusti.

...

ᵃ   Bonifatio *Capasso*. ᵇ Bonifatio et Honorio *Waitz*. ᶜ Heraclio *Waitz Capasso*.

[117] Reduce fu consacrato vescovo da papa Pelagio II tra il novembre del 579 (inizio del pontificato di Pelagio II) e il 13 dicembre del 581, data in cui figura essere già vescovo. *Prosopographie chrétienne du Bas-Empire*. II, p. 1886.
   [118] Benedetto (575-579).
   [119] Pelagio II (579-590).
   [120] Maurizio (582-602). Questo sovrano non è però ricordato anche col nome di Tiberio. Probabilmente il cronista o la sua fonte fu tratto in inganno dal particolare che uno dei figli di questo sovrano portasse quel nome e/o che il predecessore di Maurizio si chiamasse Tiberio Costantino.
   [121] Fortunato II rimase in carica tra il 593 e il 600. La sua elezione pose fine a un periodo di vacanza della sede di Napoli, dovuta a contrasti esistenti in seno alla popolazione e alla Chiesa napoletana e alle tensioni col papa. In un primo momento Fortunato II seguì le direttive di Gregorio Magno, ma in seguito il pontefice si lamentò numerose volte per la condotta del presule partenopeo. Per un approfondimento, vedi Cassandro, *Il ducato bizantino*, pp. 26, 28, 32; Sennis, *Fortunato*, pp. 232-234; *Prosopographie chrétienne du Bas-Empire*, I, pp. 867-871.
   [122] Gregorio Magno (590-604).
   [123] Pascasio divenne vescovo tra il luglio del 600, data in cui papa Gregorio decise che i due candidati eletti contemporaneamente dai Napoletani non erano degni di occupare il soglio vescovile, e il gennaio del

[21.] XXIIII. Il vescovo Reduce sedette sul trono vescovile per 3 anni e 24 giorni[117].

Fu vescovo ai tempi del suddetto papa Benedetto[118] fino agli inizi del pontificato di papa Pelagio[119] e ai tempi di Tiberio Costantino.

...

[22.] XXV. Il vescovo Demetrio sedette sul trono vescovile per 3 anni.

Fu vescovo ai tempi di papa Pelagio e di Tiberio Costantino fino agli inizi del governo di Maurizio Tiberio[120].

...

[23.] XXVI. Il vescovo Fortunato sedette sul trono vescovile per 7 anni e 11 giorni[121].

Fu vescovo ai tempi del già menzionato sua signoria il beatissimo papa Gregorio[122] e dell'augusto Maurizio.

...

[24.] XXVII. Il vescovo Pascasio sedette sul trono vescovile per 14 anni e 6 giorni[123].

Fu vescovo ai tempi dei papi Sabiniano[124] e Bonifacio[125], di un altro papa Bonifacio[126] e dell'imperatore Foca[127].

...

[25.] XXVIII. Il vescovo Giovanni sedette sul trono vescovile per 20 anni, 7 mesi e 14 giorni.

Per coloro che indossano le vesti bianche egli fece un consignatorio[128] tra la chiesa Stefania e i fonti battesimali principali, costruiti dal vescovo Soter, mediante i quali venivano battezzati coloro che entravano dalle porte della parte sinistra. Lì, mentre rimanevano nel mezzo, venivano offerti al vescovo e, dopo avere ricevuto la benedizione, uscivano dalla parte sinistra. Egli ordinò che questo consignatorio e le pareti sopra le colonne fossero dipinti.

Fu vescovo ai tempi dei papi Deodato[129], Bonifacio[130] e Onorio[131] e dell'augusto Eraclio[132].

...

601 quando Pascasio risulta essere prelato di Napoli in una lettera del medesimo pontefice. *Prosopographie chrétienne du Bas-Empire*, II, pp. 1608-1609.

[124] Sabiniano (604-606).

[125] Bonifacio IV (608-615).

[126] Bonifacio V (619-625). Il cronista ha omesso papa Deodato (615-618).

[127] Foca (602-610).

[128] Si ritiene che si tratti di un edificio in cui si svolgeva una parte della cerimonia del battesimo. *Chronicon episcoporum S. Neapolitanae Ecclesiae*, p. 185, n. 2.

[129] Deodato (615-618).

[130] Bonifacio V (619-625).

[131] Onorio (625-638).

[132] Eraclio (610-641).

[26.] XXVIIII[a]. Cesarius episcopus sedit annos IIII, dies IIII.
Fuit autem temporibus supra dicti Honorii papae et Heraclii augusti.

...

[27.] XXX. Gratiosus episcopus sedit annos VII.
Fuit autem temporibus Iohannis et Theodori papę // (f. 60[v]) et Heraclonis et Constantii, filii Heraclii.

...

[28.] XXXI. // (f. 64[v]) Eusebius episcopus sedit annos VI.
Fuit autem temporibus Martini beatissimi papae et Constantini[b] imperatoris[c].

...

[29.] XXXII. Leontius episcopus sedit annos IIII[d].
Hic fecit crucem auream mediocrem cum lapidibus pretiosis. In quem medio reclusit ex portione vivifici ligni, in quo Dominus noster pependi pro salute generis humani dignatus est. Pro cuius venerationis gratiam sexta feria ebdomadae maioris et inventionis seu exaltationis sanctę crucis omnes promiscui sexus confluunt, devote flagitantes auxilia. // (f. 67[r])
Fuit autem temporibus Eugenii papae et supradicti Constantini imperatoris.

...

[30.] XXXIII. Adeodatus episcopus sedit annos XVIII.
Fuit temporibus Vitaliani papae et iam dicti Constantini augusti.

...

[31.] XXXIIII[e]. Agnellus episcopus sedit annos XXI, dies XV.
Hic fecit basilicam intus civitatem Neapolim ad nomen sancti // (f. 75[v]) Ianuarii martyris in cuius honorem nominis diaconiam instituit et fratrum Christi cellulas collocavit, delegans ab episcopio alimonias duocentorum[f] decem tritici[g] modiorum cum

---

[a]   XXIX *Waitz.* [b]   *Così Waitz.* Constanti *C Capasso.* [c]   *Waitz omette* imperatoris. [d]   III *Capasso.* [e]   *Così Waitz Capasso.* XXXIII *C.* [f]   *In C è stata cancellata la prima* o *di* duocentorum. [g]   *C aggiunge* ti *a* trici.

[133]   Giovanni IV (640-642).
[134]   Teodoro (642-649).
[135]   Eraclio lasciò la guida dell'impero a Costantino III e a Eracleona che aveva avuto da due diverse mogli. Il primo morì nel 641 dopo tre mesi di governo. Il secondo fu invece deposto nel 641 e inviato in esilio insieme a sua madre Martina. Non è da escludere che, con Constantino, l'autore intendesse indicare Costante II, figlio di Costantino III, il quale governò dal 641 al 668.
[136]   Martino (649-654).
[137]   Costante II (641-668). Costante è il diminutivo di Costantino. Ostrogorsky, *Storia dell'impero bizantino*, p. 100.

[26.] XXIX. Il vescovo Cesario sedette sul trono vescovile per 4 anni e 4 giorni.
Fu vescovo ai tempi del suddetto papa Onorio e dell'augusto Eraclio.

...

[27.] XXX. Il vescovo Grazioso sedette sul trono vescovile per 7 anni.
Fu vescovo ai tempi dei papi Giovanni[133] e Teodoro[134] e dei figli di Eraclio, Eracleona e Costantino[135].

...

[28.] XXXI. Il vescovo Eusebio sedette sul trono vescovile per 6 anni.
Fu vescovo ai tempi del beatissimo papa Martino[136] e dell'imperatore Costantino[137].

...

[29.] XXXII. Il vescovo Leonzio sedette sul trono vescovile per 4 anni.
Egli fece una piccola croce d'oro con pietre preziose. All'interno di essa pose una parte del legno vivificante sul quale il nostro Signore volle essere appeso per la salvezza del genere umano. Per venerarla, nel sesto giorno della settimana maggiore[138] e nel giorno del ritrovamento e dell'esaltazione della santa croce[139], tutti, di ogni sesso, si recano presso di essa, chiedendo devotamente aiuto.
Fu vescovo ai tempi di papa Eugenio[140] e del suddetto imperatore Costantino.

...

[30.] XXXIII. il vescovo Adeodato sedette sul trono vescovile per 18 anni.
Fu vescovo ai tempi di papa Vitaliano[141] e del suddetto augusto Costantino.

...

[31.] XXXIIII. Il vescovo Agnello sedette sul trono vescovile per 21 anni e 15 giorni[142].
All'interno della città di Napoli egli fece una basilica dedicata al santo martire Gennaro[143], in onore del quale istituì una diaconia[144], dove fece costruire alcune celle per i fratelli di Cristo, prendendo dalle rendite dell'episcopio, per ciascuno degli anni

---

[138] Ossia il venerdì santo.
[139] In questa festività avviene l'adorazione del crocifisso per commemorare la crocifissione di Gesù.
[140] Eugenio (654-657).
[141] Vitaliano (657-672).
[142] Agnello rimase in carica probabilmente tra il 673 e il 694. *Agnello*, p. 428.
[143] Si tratta di S. Gennaro all'Olmo. Capasso, *Topografia della città di Napoli nell'XI secolo*, p. 88; Venditti, *L'architettura dell'alto Medioevo*, p. 832; Arthur, *Naples, from Roman Town to City-State*, p. 68.
[144] La diaconia era una sorta di comunità cenobitica il cui scopo principale era l'assistenza ai poveri. Quella creata dal vescovo Agnello fu probabilmente una delle prime a essere istituite a Napoli. Ambrasi, *Le diaconie a Napoli nell'alto Medioevo*, pp. 55 sgg.

duocentas decem vini hornas perennis temporibus per uniuscuiusque successionem annualiter largiri. Sed et pro labandis curis bis in anno, nativitatis et resurrectionis Domini anni circulum exsequendum, saponem dari sancivit. Sic itaque usque hodie, Domino annuente, // (f. 76ʳ) perficitur. Atque mille siliquas in nativitate Domini milleque in ipsius resurrectione tribuitur.

Fuit autem temporibus Adeodati beatissimi papae et successorum eius Doni[a], Agathoni, Leoni, Benedicti et Iohannis usque ad Sergium papam, necnon et Constantini, filii Constantii superioris regis, et Iustiniani, filii Constantini, imperatoribus.

...

[34.] Iulianus episcopus sedit annos VII, menses III.

Fuit autem temporibus Sergii pape et Leonis augusti usque ad quartum annum Tiberii imperatoris.

...

[35.] Laurentius episcopus sedit annos XV, menses VIII, dies XXVI.

Fuit autem temporibus Iohannis pape et Tiberii et Iustiniano[b] secundo cum Tiberio, filio augustis, necnon et // (f. 86ʳ) Phylippico, Anastasio et Theodosio imperatoribus.

...

Horum quoque temporibus provincia Campanię Neapolim gravi pestilentia exorta est. Subito enim coeperunt nasci vulnera hominum[c], vel in aliis deligatioribus locis glandulę in modum nucis seu dactuli, moxque subsequebatur et febris intolerabilis[d], ita ut in triduo extingueretur; sin vero aliquis triduo transigisset, habebat spem vivendi.

Erant autem ubique luctus, ubique lacrimae[e]. Nam, ut a maioribus referta noscuntur, multi per insulas cladem fugientes, reliquebantur[f] domos absque habitatoribus.

[a] Boni *Capasso*. [b] Iustiniani *Waitz Capasso*. [c] in inguinis hominum *Paolo Diacono*. [d] subquebatur febrium intolerabilis aestus *Paolo Diacono*. [e] Coeperunt nasci – lacrimae *Pauli Diaconi Historia Langobardorum, II, 4*. [f] *C corregge* reliquebantur *in* reliquebant. relinquebantur *Waitz Capasso*.

[145] Si tratta del *lousma*, una pratica che non era soltanto un lavacro, ma anche una cerimonia liturgica. Ambrasi, *Le diaconie a Napoli*, pp. 47 e 56; Martin, *Les Bains dans l'Italie méridionale au Moyen Age*, pp. 59-61. In generale sui *balnea* nel Medioevo, vedi Stasolla, *Pro labandis curis*, e *Bains curatifs et bains hygiéniques en Italie de l'antiquité au Moyen-Âge*.

[146] Moneta bizantina d'argento.

[147] Adeodato II (672-676).

[148] Dono (676-678).

[149] Agatone (678-681).

[150] Leone II (682-683).

[151] Benedetto II (684-685).

[152] Giovanni V (685-686).

[153] Sergio (687-701).

successivi, duecentodieci moggi di frumento e duecentodieci misure di vino dalla produzione annuale. Per i lavacri, egli anche dispose che fosse dato il sapone due volte all'anno, nella Natività e nella Resurrezione del Signore, seguendo il cerchio dell'anno[145]. Con l'assenso del Signore, la medesima cosa è avvenuta fino a oggi. Egli fece inoltre distribuire mille silique[146] nella festa della Natività e mille in quella della Resurrezione.

Fu vescovo ai tempi del beatissimo papa Adeodato[147] e dei suoi successori Dono[148], Agatone[149], Leone[150], Benedetto[151] e Giovanni[152] fino a papa Sergio[153], e degli imperatori Costantino[154], figlio del suddetto re Costante, e Giustiniano[155], figlio di Costantino.

...

[34.] Il vescovo Giuliano sedette sul trono vescovile per 7 anni e 3 mesi[156].

Fu vescovo ai tempi di papa Sergio[157] e dell'augusto Leone[158] fino al quarto anno dell'imperatore Tiberio[159].

...

[35.] Il vescovo Lorenzo sedette sul trono vescovile per 15 anni, 8 mesi e 26 giorni.

Fu vescovo ai tempi di papa Giovanni[160] e degli imperatori Tiberio, Giustiniano II con Tiberio, figlio dell'augusto[161], e Filippico[162], Anastasio[163] e Teodosio[164].

...

Ai loro tempi a Napoli, nella provincia della Campania, ci fu una grave pestilenza. All'improvviso cominciarono a crearsi delle ferite sugli uomini[165] e, in altri punti particolarmente delicati, delle ghiandole della grandezza di una noce o di un dattero e, subito dopo, seguiva una febbre molto alta al punto che il malato moriva nello spazio di tre giorni. Se però qualcuno riusciva a superare i tre giorni, allora poteva sperare di vivere.

Ovunque c'erano lutti, ovunque lacrime. Infatti, come si è venuto a sapere dal racconto degli anziani, molti fuggirono dal flagello andando nelle isole e lasciando le case senza

---

[154] Costantino IV (668-685).

[155] Giustiniano II (685-695 e 705-711).

[156] Se è corretto il dato della frase successiva in cui si specifica che Giuliano rimase in carica fino al quarto anno dell'imperatore Tiberio, il vescovo napoletano resse la Chiesa di Napoli pressappoco tra il 695 e il 702.

[157] Sergio (687-701).

[158] Leonzio (695-698).

[159] Tiberio II (698-705).

[160] Non è chiaro se il cronista si riferisca a Giovanni VI (701-705) o a Giovanni VII (705-707).

[161] Il cronista ha commesso un errore, poiché Giustiniano II non aveva figli.

[162] Filippico (711-713).

[163] Anastasio (713-715).

[164] Teodosio III (715-717).

[165] In Pauli Diaconi *Historia Langobardorum*, II, 4, da cui questo brano è tratto, si ha «in inguinibus hominum (negli inguini degli uomini)».

Fugiebant filii cadavera insepulta // (f. 88^v) parentum, et si quem forte caritatis pietas[a] perstringebat, ut proximum sepelire vellet, remanebat[b] ipse insepultus[c]. Advesperascente die, qui superstites existebant, vicissim sibi pacis oscula tribuebant, invicem se commendantes suaque[d] scelera mutuo confitentes, perdita spe alterius devenire diebus.

Ingravescente siquidem tali pestilentia, ut de die in die[e] penes[f] consumerentur, metu ac tremore concussi, cum omni instantia qui reliquebantur ex medullis cordis vociferantibus ieiuniis et orationibus Domino suorum unusquisque oblita plangebat. Talibus[g] igitur insistentes // (f. 89^r) operibus, plaga mortis, Domino annuente, expulsa est.

...

[36.] Sergius episcopus sedit annos XXVIII[h], menses IIII, dies IIII.

Hic dum sub habitu[i] adhuc presbyterii[j] degeret. Romoalt dux[k] Langubardorum pacis fraude simulans, misso exercitu Cumanum castrum, quodam tradente, invadit.

Ad quem dum Iohannes magister militum cum suos adire festinaret ad exequendam benedictionem divinitus iste, de quo dictum est sacerdos inventus est. Data hilico oratione, dux ille praevius votum devovit[l], dicens: «Si Domino annuente pros//(f. 90^r) pere recepturus castrum advenero, post decessum pontificis, si advixero istum episcopum ordinabo». Quod et factum est. Abierunt ipsumque castrum intrantes receperunt adque stabilientes; incolumes sunt omnes reversi. Cumque propria morte beatus Laurentius episcopus de hac luce subtractus fuisset, Sergium eligerunt[m] pontificem et prędicentis votus completus est.

Hic, dum a Grecorum pontifice archiepiscopatum nancisce//(f. 90^v)retur, ab antistite Romano correptus, veniam impetravit.

Fuit autem temporibus Gregorii et Zacharię papę, necnon et Leoni seu alio Leoni et Constantino, eius filio.

...

---

[a] antiqua pietas *Paolo Diacono.* [b] restabat *Paolo Diacono.* [c] Fugiegant filii – insepultus *Pauli Diaconi Historia Langobardorum, II, 4.* [d] *C cancella la prima e di suaeque.* suaeque *Waitz.* [e] diem *Waitz Capasso.* [f] pene *Waitz Capasso.* [g] *C aggiunge* bus *in interlinea a* tali. [h] 38 *Waitz.* [i] habitum *Waitz Capasso.* [j] presbyteri *Waitz Capasso.* [k] rex *Waitz Capasso, che dicono che C ha corretto* rex *in* dux, *cosa non vera.* [l] Deo vovit *Waitz Capasso.* [m] elegerunt *Waitz Capasso.*

[166] Fino a questo punto il cronista copia da Pauli Diaconi *Historia Langobardorum*, II, 4, dove lo storico longobardo descrive la peste che colpì la provincia della Liguria alla fine della guerra gotico-bizantina.

[167] Il personaggio indicato erroneamente dall'autore come Grimoaldo è da identificare nel duca di Benevento Romualdo II (706-731/732).

[168] Il comandante delle milizie di Napoli.

[169] Ossia Sergio.

[170] Si ritiene che questo episodio sia avvenuto verso il 717/718. Nella biografia di papa Gregorio II (715-731) si riferisce che il pontefice chiese al duca di Napoli, Giovanni, di riconquistare Cuma e che l'assalto dei Napoletani ebbe luogo di notte. *Liber pontificalis*, I, pp. 400-401. Un cenno a tale evento è presente anche in Pauli Diaconi *Historia Langobardorum*, VI, 40. Cfr. Schipa, *Il Mezzogiorno d'Italia anteriormente alla monarchia*, pp. 31-32; Cassandro, *Il ducato bizantino*, pp. 38-40; La Salvia, *Giovanni*, pp. 515-516.

abitanti. I figli fuggivano, lasciando insepolti i cadaveri dei genitori, e, se qualcuno per caso era spinto dall'antico senso di carità a seppellire i parenti, egli stesso rimaneva insepolto[166]. Al calar della sera coloro che erano sopravvissuti si scambiavano il bacio della pace, si raccomandavano a vicenda e confessavano a vicenda le loro azioni malvagie, poiché avevano perso la speranza di vedere altri giorni.

Di giorno in giorno la pestilenza diventava sempre più grave al punto che gli abitanti stavano per essere quasi del tutto eliminati. Scossi dal timore e dalla paura, coloro che erano rimasti cominciarono costantemente a digiunare e a rivolgere dalla parte più profonda del cuore preghiere al Signore e ognuno piangeva i parenti che erano stati dimenticati. Essi insistettero così tanto con tali azioni che, per volontà di Dio, la mortale pestilenza fu scacciata.

...

[36.] XXXVII. Il vescovo Sergio sedette sul trono vescovile per 28 anni, 4 mesi e 4 giorni.

Mentre questi ancora indossava l'abito del prete, il duca dei Longobardi Grimoaldo[167], simulando la pace, inviò un esercito nella cittadella di Cuma e, dopo che gli fu consegnata da qualcuno, la occupò.

Mentre il comandante delle milizie Giovanni[168] si stava recando velocemente là con i suoi uomini, incontrò questo sacerdote, di cui si è detto[169], che voleva impartire loro la benedizione divina. Eseguita quindi l'orazione, quel duca fece un voto, dicendo: «Se, con l'aiuto di Dio, riuscirò a riprendere quella cittadella e se, dopo la morte dell'attuale pontefice, sarò ancora vivo, ordinerò vescovo questo sacerdote». E così avvenne. I Napoletani si recarono in quella cittadella, vi entrarono, la riconquistarono, vi si insediarono e ritornarono tutti incolumi[170]. Quando il beato vescovo Lorenzo fu sottratto a causa della sua morte da questa luce, essi elessero pontefice[171] Sergio e in tale modo fu adempiuto il voto fatto in precedenza.

Dato che Sergio aveva ottenuto l'arcivescovado dal pontefice dei Greci, egli fu rimproverato dal vescovo di Roma al quale chiese perdono[172].

Fu vescovo ai tempi dei papi Gregorio[173] e Zaccaria[174] e degli imperatori Leone[175], di un altro Leone[176] e del figlio di questi Costantino[177].

...

[171] Ossia vescovo. In questo periodo il termine pontefice non era impiegato soltanto per il papa.

[172] Questo episodio è stato interpretato come il tentativo da parte della Chiesa costantinopolitana di sottrarre Napoli alla giurisdizione del papa. Cassandro, *Il ducato bizantino*, p. 40; Russo Mailler, *Il ducato di Napoli*, pp. 356-357; Cilento, *La Chiesa di Napoli nell'alto Medioevo*, p. 643; Granier, *Topografia religiosa*, pp. 54-55.

[173] Gregorio II (715-731).

[174] Zaccaria (741-752).

[175] Il cronista ha probabilmente confuso i nomi. Leone II infatti governò nel 474, Leone IV dal 775 al 780, mentre Leonzio dal 695 al 698.

[176] Leone III (717-741).

[177] Costantino V (741-775).

[38.] Cosmas episcopus sedit annos, duos menses II, dies VI.

Fuit et hic temporibus supra dicti Zachariae papae, Leoni et Constantini, eius filii, augusti.

...

[39.] Calvus episcopus sedit annos XII, menses IIII, dies III.

Hic inter cetera bonitatis studia sancti Sossi non longe ab urbe oratorium instituit, // (f. 94ʳ) sic in sublime erectum, ut universa quae in circuitu posita sunt conspicere possint.

Fuit autem temporibus domini Stephani papae et usque ad annum quadragesimum quartum Constantini imperatoris et Leoni, filio eius, anno undecimo.

Hunc aiunt[a] Constantinum robustiorem fuisse virum, qui leonem ferocissimam bestiam pugnando occidit et draconi se opposuit et ipsum interemit. // (f. 94ᵛ) Nam dum quadam aqueductum sua magnitudine detineret et multos fetore suo perimeret nullumque alium consilium repperiret, semet ipsum pro omnibus Constantinus periculo dedit, statuens semet ipsum cum dracone conflicturus. Factaque sibi loricam falcatam, quem novaculis acutissimis ex omni parte munivit, atque ad locum, ubi ille teterrimus draco quiescebat, devenit. Nihil cunctatus, relictos suos, ad eum solus introiit[b] // (f. 95ʳ)

noluerunt eos recipere. Quo audito, universi ex diversis provinciis ad eum collecti sunt, et una cum ipsis civitas obsessa est et ne in tantam[c] multitudinem famis adgresceret, corii solidos pro aureis nomismatis fecit a negotiatoribus dari et recipi, promittens eos, dum in palatio introiret, omnes colligere et aureos[d] solidos ad corii solidos commutare. Constanter autem obsidentibus urbem, hii qui intra civitatem // (f. 95ᵛ) erant veniam impetrantes, cum gloria ab omnibus receptus est. Ingresso Constantino palatio, promissum, quod de solidos fecerat, explevit.

---

[a] *Così Waitz Capasso.* atunc *C.* [b] *Sono stati strappati alcuni fogli.* [c] *Così Waitz.* tam *C Capasso.* [d] *C corregge* aureis *in* aureos. aureis *Waitz.* aurei *Capasso.*

[178] Zaccaria (741-752).

[179] Leone III (717-741).

[180] Costantino V (741-775).

[181] Il diacono della Chiesa di Miseno Sosso o Sossio fu giustiziato insieme ad altri cristiani campani a Pozzuoli durante la persecuzione dell'imperatore Diocleziano (294-305). Ambrasi, *Il cristianesimo e la Chiesa napoletana dei primi secoli*, pp. 664-666. Agli inizi del decimo secolo, per timore delle incursioni musulmane, le reliquie di san Sossio furono portate all'interno di Napoli su iniziativa del vescovo Stefano III. I resti di questo santo furono posti insieme a quelli di san Severino in un nuovo monastero (San Severino e San Sossio). Cilento, *La Chiesa di Napoli nell'alto Medioevo*, p. 659; Arthur, *Naples, from Roman Town to City-State*, pp. 71-72.

[182] Stefano II (752-757).

[183] Gli anni di governo di Costantino V e di suo figlio Leone IV sono computati a partire dal momento in cui diventarono coimperatori. P. Bertolini ha osservato che i due dati combaciano se si considera che l'anonimo cronista basò i propri calcoli sulle date usate dai documenti romani e napoletani dell'ottavo secolo, che indicavano nel novembre del 719 e non nel marzo del 720 l'elezione a coimperatore di Costantino V e nel febbraio del 752 e non nel maggio del 750 quella di Leone IV. Calvo sarebbe quindi morto tra il novembre del 762 e il febbraio del 763. In base al cosiddetto calendario marmoreo della Chiesa di Napoli, P. Bertolini ritiene che Calvo fosse spirato il 18 novembre del 762 e che l'inumazione ufficiale del prelato fosse avvenuta il 20 marzo del 763. Bertolini, *La serie episcopale*, pp. 355-367.

[38.] XXXVIII. Il vescovo Cosma sedette sul trono vescovile per due anni, 2 mesi e 6 giorni.

Fu vescovo ai tempi del suddetto papa Zaccaria[178] e degli augusti Leone[179] e del figlio di questi Costantino[180].

...

[39.] Il vescovo Calvo sedette sul trono vescovile per 12 anni, 4 mesi e 3 giorni.

Tra le buone azioni che egli compì, ci fu l'edificazione, non lontano dalla città, dell'oratorio di san Sosso, che fu costruito in modo così meraviglioso che si può vedere tutto ciò che fu posto intorno a esso[181].

Fu vescovo ai tempi di sua signoria papa Stefano[182] e fino al quarantaquattresimo anno di governo dell'imperatore Costantino e all'undicesimo del figlio di questi Leone[183].

Dicono che questo Costantino fosse un uomo molto forte, che avesse ucciso combattendo un leone, una ferocissima bestia, e che avesse affrontato ed ucciso un drago. Grazie alle sue grandi dimensioni, il drago si era impadronito di un acquedotto ed aveva ucciso molte persone col suo fetore. Non trovando nessun altro modo d'agire, Costantino si espose al pericolo per la salvezza di tutti e decise che egli avrebbe affrontato il drago. Fattasi fare una corazza falcata, sulla quale pose da ogni parte dei coltelli accuminatissimi, si recò nel luogo in cui si trovava quel terribile drago. Senza perder tempo, lasciò i suoi uomini e si recò da solo da quello[184]

non vollero accogliere Costantino. Venuti a sapere questo, tutti i sudditi provenienti da varie province si recarono da lui e insieme a essi egli assediò la città. E affinché a causa di quel gran numero di persone la carestia non aumentasse, egli ordinò che i negozianti dessero e ricevessero solidi di cuoio al posto dei numismata d'oro, promettendo loro, che, appena sarebbe entrato a palazzo, avrebbe riunito tutti e avrebbe cambiato i solidi d'oro in solidi di cuoio[185]. Dato che la città era sottoposta a un incessante assedio, coloro che erano all'interno, chiesero perdono e Costantino fu gloriosamente accolto da tutti. Come entrò a palazzo, adempiette alla promessa che aveva fatto a proposito dei solidi[186].

...

---

[184] Il racconto si interrompe improvvisamente, perché è stato strappato un foglio. La prima parte dei *Gesta episcoporum Neapolitanorum* è l'unica fonte a riferire tale episodio su Costantino V. Questa positiva descrizione dell'imperatore probabilmente non fu distrutta dagli avversari dell'iconoclasmo perché Napoli si trovava alla periferia dell'impero bizantino ed era successivamente diventata uno stato indipendente da Costantinopoli. In una cronaca scritta in Armenia – un'altra area posta alla frontiera dell'impero bizantino – si racconta che Costantino V aveva ucciso un leone. *Histoire des guerres et des conquêtes des Arabes en Armenie*, p. 138. Per un approfondimento su questa descrizione e relativa bibliografia, vedi Berto, *The others and their stories*, p. 40.

[185] Il cronista ha commesso un errore, perché Costantino V aveva ovviamente promesso di fare la cosa contraria.

[186] L'anonimo autore probabilmente si riferisce alla rivolta del 742 contro Costantino V, guidata da suo cognato Artavasde, che si era fatto proclamare imperatore. L'anno successivo Costantino V sconfisse l'usurpatore e, dopo un breve assedio, tornò nuovamente in possesso di Costantinopoli. Ostrogorsky, *Storia dell'impero bizantino*, pp. 152-153.

[IOHANNIS DIACONI GESTA EPISCOPORUM NEAPOLITANORUM]

(f. 101ʳ) [41.] Paulus episcopus. Sedit annos quattuor, menses duos, dies VI.

Fuit autem temporibus Pauli pape. Hic quoque cum Neapolitanę ecclesię diaconatus fungeretur officio, Romanam ad urbem frequens legatus abibat. Ubi predictum papam, adhuc levitali infula decoratum, cęlesti amore conglutinavit sibi amicum. Qui cum quodam die vicissim sodalia verterentur[a] colloquia, tamquam adulando Neapolitanus ait levita: «Concedat Omnipotens, ut te apostolicum videam». Cui mox pręfatus papa respondit: «Et ego te episcopum».

Quid plura? In brevi spatio defuncto domno Stephano apostolico, Paulus diaconus ad prenuntiatum sibi honorem eligitur. Itaque non multo post migrante // (f. 101ᵛ) ad Dominum Calvo venerabili episcopo et iste Neapolitanam suscepit cathedram.

Sed propter detestabilem imaginum altercationem, quę inter apostolici tramitis auctoritatem et fedissimam Constantini imperatoris Caballini vertebatur amentiam, novem sunt menses elapsi, in quibus non potuit consecrari, quia tunc Parthenopensis populus potestati Gręcorum favebat.

Attamen hic cum cuperet pręcdicto papę quasi amicus de talibus aliquo modo suffragari, clanculo Romam perrexit. Qui statim consecratus episcopus, Neapolim est directus, sed propter Gręcorum conexionem noluerunt illum recipere sui concives[b].

Inito tamen consilio,// (f.102ʳ) eum ad ecclesiam sancti Ianuarii Christi martyris, non longius ab urbe dedicatam[c], transmiserunt. In qua duos ferme annos degens, plura

---

[a] verterent *Waitz Capasso.* [b] *C aggiunge con* in interlinea a *cives.* [c] dicatam *Waitz.*

[187] Paolo (757-767).

[188] Levita è usato come sinonimo di diacono. La fascia a cui si riferisce l'autore è una stola che ancora oggi i diaconi portano dalla spalla sinistra al fianco destro.

[189] Stefano II (752-757).

[190] Il vescovo Calvo morì probabilmente nel novembre del 762. P. Bertolini ritiene che il fatto che Giovanni Diacono non riferisca nulla su Calvo e sulla natura delle missioni diplomatiche svolte dal diacono Paolo indichi che desiderasse «fare passare sotto silenzio» gli eventi del vescovado di Calvo, che avrebbe aderito all'iconoclastia. Bertolini, *La serie episcopale napoletana*, pp. 367 sgg. Contrario a tale ipotesi è invece Martin, *Hellénisme politique*, p. 63.

[191] Il particolare che Giovanni Diacono abbia utilizzato l'espressione *suscipere cathedram* soltanto per Paolo II, mentre per gli altri vescovi abbia riportato che o erano stati eletti dalla popolazione o erano stati scelti dai duchi di Napoli ha indotto P. Bertolini a ipotizzare che Paolo II fosse stato eletto quando Calvo era ancora in vita. Egli inoltre sottolinea che, se si tiene conto di questo dettaglio, la durata dell'episcopato di Paolo II non appare più errata. Essa sarebbe infatti stata computata a partire dal momento in cui Paolo II era stato eletto (fine gennaio 762) e non dal momento in cui aveva assunto il seggio vescovile. Bertolini, *La serie episcopale napoletana*, pp. 373 sgg. Si tratta di una supposizione molto interessante, che evidenzierebbe l'esistenza di forti dissidi a Napoli durante l'episcopato di Calvo. L'impiego del verbo *suscipere* da parte del cronista non rappresenta tuttavia una prova inoppugnabile per affermare che Paolo II era stato già eletto. Innanzitutto il numero di elezioni vescovili descritte da Giovanni Diacono è troppo basso per effettuare un valido confronto, soprattutto se si considera che due di esse erano avvenute per

GIOVANNI DIACONO
STORIA DEI VESCOVI NAPOLETANI

[41.] Il vescovo Paolo sedette sul trono vescovile per quattro anni, due mesi e 6 giorni. Fu vescovo ai tempi di papa Paolo[187].

Mentre ricopriva ancora la carica di diacono della Chiesa di Napoli, Paolo si recò spesso nella città di Roma in qualità di ambasciatore. Qui si legò con il papa con una purissima amicizia, quando questi era ancora ornato della fascia del levita[188]. Un giorno, mentre stavano parlando amichevolmente, il levita napoletano gli disse come per adularlo: «Che l'Onnipotente conceda che io ti veda papa». Il papa subito gli rispose: «E a me di vederti vescovo».

Perché dilungarsi? Morto poco tempo dopo sua signoria papa Stefano[189], il diacono Paolo fu eletto a quella carica. Essendo poco dopo migrato al Signore il venerabile vescovo Calvo[190], Paolo assunse il seggio napoletano[191].

A causa della detestabile disputa sulle immagini, che si era verificata tra l'autorità papale e l'esecrabile follia dell'imperatore Costantino Cavallino[192], trascorsero tuttavia nove mesi durante i quali Paolo non poté essere consacrato, perché in quel periodo il popolo partenopeo era sottoposto al potere dei Greci[193].

Paolo però, poiché desiderava aiutare il papa in qualche modo su questo problema, quasi come se fosse un suo amico, si recò di nascosto a Roma. Egli fu subito consacrato vescovo e inviato a Napoli, ma, a causa del legame con i Greci, i suoi concittadini non vollero accoglierlo.

Fatta una riunione, essi lo mandarono nella chiesa del santo martire di Cristo Gennaro, che era stata dedicata a questi non lontano dalla città[194]. Egli vi rimase per

---

esplicita volontà dei duchi di Napoli. Si osserva inoltre che nelle vite dei papi *suscipere* è usato senza che si possa sospettare che il pontefice in questione fosse stato eletto in precedenza. Ciò, ad esempio, avviene per la successione di Onorio a Bonifacio V, che è riportata anche nella prima parte dei *Gesta episcoporum Neapolitanorum*, c. 25.

[192] Costantino V (741-775). La disputa sulle immagini a cui si riferisce il cronista è l'iconoclastia della quale Costantino V, figlio di Leone III, fu un acceso sostenitore al punto che il suo periodo di governo è ricordato come la «la fase più acuta» della lotta iconoclasta. Ostrogorsky, *Storia dell'impero bizantino*, p. 156. Questo imperatore è ricordato con questo soprannome anche in una fonte armena dell'undicesimo secolo, che riporta anche il significato di questo termine. Samuele di Ani, *Collection d'historiens arméniens*, vol. II, p. 145: «Costantino, il figlio di Leone, fu chiamato *Kawalinos*, che è usato per dire "colui che raccoglie il letame" perché quando le forze Arabe erano accampate sull'argine del fiume Alis, egli ordinò che il letame fosse ammassato e lanciato nel fiume; quando [gli Arabi] videro questo, il terrore li assalì, credendo che fosse un esercito immenso, scapparono». Citato da Bergamo, *Costantino V*, p. 116.

[193] A differenza delle altre aree dell'Italia centrale e settentrionale in mano ai Bizantini, che si erano ribellate in occasione dell'editto iconoclasta di Leone III, i Napoletani erano sempre stati fedeli a Costantinopoli. In generale sull'atteggiamento dei Partenopei nei confronti dell'iconoclastia, vedi Cassandro, *Il ducato bizantino*, pp. 40-41; Bertolini, *La Chiesa di Napoli durante la crisi iconoclasta*; Von Falkenhausen, *La Campania tra Goti e Bizantini*, p. 21; Luzzati Laganà, *Tentazioni iconoclaste a Napoli*, pp. 99-115.

[194] Come si può desumere dalle parole dello stesso cronista, si tratta della basilica di san Gennaro *extra moenia*. Cfr. Cilento, *La Chiesa di Napoli nell'alto Medioevo*, pp. 678-679; Venditti, *L'architettura dell'alto Medioevo*, pp. 784 sgg.; Lucherini, *La cattedrale di Napoli*, p. 91.

construxit ędificia. Inter quę fecit triclineum, quod est introeuntibus a parte dextra. Sane clerus omnis et populus cunctus canonice illi ut vero optemperabant[a] pastori, resque omnes ecclesię absque ullius detinebat et disponebat obstaculo. Construxit etiam ibidem marmoreum baptismatis fontem. In quo paschalibus aliisque festis omnes occurrentes suos baptizabant filios.

Interea Neapolitanorum primates cernentes, tam egregiam urbem languidam esse de tanto pontifice, uno consilio unoque consensu// (f.102ᵛ) lętantes et gaudentes eum in ipsius civitatis episcopatum introduxerunt. Ubi, duobus evolutis annis, tali fine quievit in Domino. Dominica namque die sancti Paschę, missarum solemniis[b] pene completis, cunctos osculatus est clericos et, omni populo exhortato, spiritu migravit ad cęlos. Mox eius exequias totus clerus omnisque sexus et ętas una cum pueris eadem in nocte baptizatis usque ad basilicam sancti Ianuarii deduxerunt et corpus eius in porticu[c] ante ecclesia sancti Stephani sepelierunt, anno scilicet quadragesimo octabo Constantini imperatoris Caballini et Leonis[d] imperatoris, filii eius, anno quintodecimo, currente indictione [...]. // (f. 103ʳ)

[42.] Stephanus episcopus sedit annos triginta tres[e], menses V, dies XXVII.

In eo siquidem anno, quo Paulus episcopus defunctus est, irato Deo, tanta desęvit clades in Neapoli, quę a medicis inguinaria vocatur, ut patris interitum mors subsequeretur filiorum et ad sepeliendum rarus superstes inveniretur. Unde etiam prope omnes clerici eiusdem episcopii vitam finirent.

Ac per hoc omnes Neapolites ad prędictum accedentes pręsulem, magnis postularunt precibus, ut ecclesię sanctę providus pastor accederet. Quorum petitiones non rennuens[f], Romanam sedem, laicus et adhuc consul, adiit. Nam Parthenopensem ducatum laudabili quiete duodecim rexit annos. Cum autem domnus Stephanus summus // (f. 103ᵛ) apostolicus tantam populi devotionem in eum cerneret, tonsum ibidem atque regulari promo-

---

ᵃ   obtemperabant *Waitz Capasso*. ᵇ *C aggiunge* i *in interlinea a* solemnis. ᶜ porticum *Waitz*. ᵈ *C aggiunge* s *in interlinea a* Leoni. ᵉ *C scrive* triginta tres *su abrasione*. ᶠ renuens *Capasso*.

¹⁹⁵ Probabilmente una sala da pranzo.
¹⁹⁶ Alcuni affreschi delle catacombe di san Gennaro sono stati attribuiti a questo periodo. Rotili, *Arti figurative e arti minori*, p. 906.
¹⁹⁷ P. Bertolini ritiene che questi particolari indichino che Giovanni Diacono avesse volutamente omesso che a Paolo II era stato opposto un altro vescovo, fautore dell'iconoclastia. Bertolini, *La serie episcopale napoletana*, pp. 382-384.
¹⁹⁸ Secondo P. Bertolini, una parte della popolazione napoletana non aveva riconosciuto alcuna validità ai sacramenti impartiti dagli ecclesiastici rimasti fedeli all'iconoclastia. Bertolini, *La serie episcopale napoletana*, p. 383, n. 104. Si ipotizza che il fonte battesimale menzionato da Giovanni Diacono corrisponda alla vasca battesimale scoperta nel corso di una campagna di scavi presso le catacombe di san Gennaro. Venditti, *L'architettura dell'alto Medioevo*, p. 786.
¹⁹⁹ Paolo II poté probabilmente tornare a Napoli grazie a un rovesciamento dei rapporti di potere tra iconoclasti e iconoduli, di cui purtroppo non si dispone di alcuna testimonianza. P. Bertolini ipotizza che tale mutamento fosse avvenuto tramite l'uso della forza. Bertolini, *La serie episcopale napoletana*, pp. 386 sgg.
²⁰⁰ Si tratta di Leone IV che divenne imperatore alla morte del padre.
²⁰¹ Secondo le ipotesi di P. Bertolini, Paolo II sarebbe morto il 6 aprile del 766. Bertolini, *La serie episcopale napoletana*, pp. 390 sgg.

circa due anni e vi costruì molti edifici, tra i quali un triclinio[195], che si trova nella parte destra rispetto a coloro che entrano[196]. Tutto il clero e il popolo gli obbedirono come se fosse stato il vero pastore[197] e in sua assenza gli ecclesiastici conservarono e gestirono tutti i beni della Chiesa senza alcun ostacolo. Paolo costruì lì anche un fonte battesimale di marmo presso il quale in occasione delle feste pasquali e di altre celebrazioni tutti si recavano per il battesimo dei propri figli[198].

Nel frattempo i maggiorenti dei Napoletani, vedendo che una città così importante era priva di un tale pontefice, felici e contenti decisero all'unanimità di insediarlo sul soglio episcopale della città[199]. Qui, due anni dopo, egli trovò la pace presso il Signore in questo modo. Nel giorno di domenica della santa Pasqua, poco prima della fine delle messe solenni, baciò tutti i chierici e, dopo avere esortato tutto il popolo, il suo spirito migrò in cielo. Tutto il clero e tutti i membri del popolo, di ogni sesso ed età, insieme ai bambini battezzati in quella notte, lo portarono subito per le esequie nella basilica di san Gennaro e seppellirono il suo corpo nel portico davanti alla chiesa di santo Stefano nel quarantottesimo anno dell'imperatore Costantino Cavallino e nel quindicesimo di suo figlio, l'imperatore Leone[200], nell'indizione ...[201]

[42.] Il vescovo Stefano sedette sul trono vescovile per trentatré anni[202], 5 mesi e 27 giorni.

Nell'anno in cui il vescovo Paolo morì, poiché Dio era irato, una grande calamità, chiamata dai medici inguinaria[203], colpì Napoli tanto che alla morte dei figli seguì il decesso del padre ed era raro trovare dei superstiti per provvedere alle sepolture. Avvenne anche che quasi tutti i chierici di quell'episcopio terminarono la loro vita.

Per tale motivo i Napoletani si recarono dal predetto presule e gli chiesero con molte preghiere di diventare il provvido pastore della santa Chiesa. Questi, che era laico e ancora console[204], non rifiutò le loro richieste e si recò a Roma. Egli aveva retto il ducato per dodici anni in encomiabile pace[205]. Vedendo sua signoria il sommo pontefice Stefano che costui era tenuto in tale considerazione dal popolo, lo fece tonsurare, lo consacrò promuovendolo regolarmente a vescovo e lo lasciò andare con la sua benedizione[206].

---

[202] P. Bertolini ritiene che la durata del vescovado di Stefano II fosse stata di ventisette anni (16 ottobre 766 - 11 aprile 794) e che l'errore sia dovuto alle tavole cronologiche a disposizione dell'autore. Bertolini, *La serie episcopale napoletana*, pp. 405-409.

[203] Si tratta probabilmente di peste. Era chiamata inguinaria perché provocava la formazione di escrescenze nell'area inguinale. Per una descrizione altomedievale di questo tipo di malattia, vedi Pauli Diaconi *Historia Langobardorum*, II, 4.

[204] Ossia duca di Napoli. Giovanni Diacono usa indifferentemente le definizioni *dux*, *consul* e *magister militum* per indicare i governanti di Napoli.

[205] Stefano, che, secondo i cataloghi ducali pervenutici, fu il secondo duca con questo nome, salì al potere nel 755. Il fatto che Stefano II avesse reso Napoli indipendente da Costantinopoli e che, una volta divenuto vescovo di Napoli, avesse continuato ad rivestire la carica di duca è stato stato contestato dai più recenti studiosi di storia napoletana. Si ritiene infatti che, pur agendo in modo più autonomo rispetto ai suoi predecessori, egli avesse continuato a riconoscere l'autorità di Costantinopoli e che, dopo essere divenuto vescovo, avesse seguitato a esercitare la propria influenza sulla vita politica partenopea. Cfr. Cassandro, *Il ducato bizantino*, pp. 41-43; Russo Mailler, *Il ducato di Napoli*, pp. 359-360.

[206] Stefano II fu probabilmente consacrato vescovo dal pontefice nella prima metà del 767. In questo periodo, però, era papa Paolo (757-767), non Stefano III (768-772). P. Bertolini ipotizza che questo non

tione episcopum consecravit. Qui mox ab eo cum benedictione dimissus, suam repedavit ad urbem. In qua honorifice susceptus, sic de divinis coepit studere rebus, acsi puerulus in eis fuisset educatus. Uxor quoque eius adhuc illo consule ex multis obierat annis.

Hic etenim Romam direxit tres clericos, qui in scola cantorum optime edocti omnique sacro Romanorum ordine imbuti, ad propria redierunt. Ex quibus unum Leonem cognomento Maurunta cardinalem ordinavit presbiterum, alios deinde clericos in monasterium sancti Benedicti Paulo lęvitę destinavit. // (f. 104ʳ) Unus vero de istis Iohannes nomine, qui post diaconus ordinatus est, apprime eruditus effulsit.

Quid enim? Si cuncta, quę in eodem sacro operatus est episcopio, scribere[a] voluero, et fastidio sunt legentibus, et nos sicut inertes subcumbimus. Sed prętiosa monilia et magna opera memorantes, vilia dimittamus.

Ad sanctę enim ecclesię ornamentum fecit crucem auream; mirabili fabrefactam opere, quod spanoclastum et antipenton vocitatur. Eodemque enim opere fecit et tres calices aureos cum patena aurea, quam in giro et medio gemmis decoravit. Fecit etiam et duo paria mascellarium ex auro mirifice // (f. 104ᵛ) scalpta, in quibus evangelia per festivitates leguntur. Fecit et sancti altaris festiva velamina, quę auro gemmisque studuit decorare, figurato tamen vultu et prętitulato in omnibus suo nomine.

Edificavit igitur intus episcopio absidam non parvi operis duasque procero cacumine turres, sub quibus ecclesiam sancti Petri miris exornatam construxit operibus. Ante cuius ingressum sex patrum sanctorum depinxit concilia, conectens ex latere non mediocris prolixitatis solarium. Ad clericorum itaque victum multas res cum plurimis acquisivit hominibus. Pręterea intra eandem urbem tria fecit monasteria, quę ad nomen sancti Festi // (f. 105ʳ) et sancti Pantaleonis martyrum sanctique Gaudiosi confessoris prętitulavit. In quibus regulares virgines, plurimis rebus oblatis, sub[b] abbatissę disciplinis statuit. Addidit etiam in sancti Gaudiosi monasterio basilicam

---

[a] describere Capasso. [b] snb Capasso.

sia un errore di Giovanni Diacono, perché il vescovo di Napoli avrebbe fatto successivamente confermare la propria elezione da Stefano III per allontanare qualsiasi sospetto di irregolarità. Bertolini, *La serie episcopale napoletana*, pp. 402-404. L'elezione a vescovo del duca di Napoli è ricordata da papa Costantino II (767-768), che, all'accusa di essere stato un laico prima di diventare papa, citò gli esempi dell'arcivescovo di Ravenna Sergio e del presule di Napoli Stefano II e rispose di non avere fatto nulla di nuovo. *Liber pontificalis*, I, p. 475.

[207] Si ipotizza che questa decisione di Stefano II fosse stata dettata dal desiderio di iniziare una progressiva riforma della liturgia della Chiesa di Napoli, adottando i rituali di quella romana. Bertolini, *La serie episcopale napoletana*, pp. 404-405; Lucherini, *La cattedrale di Napoli*, p. 94.

[208] Si è supposto che il levita Paolo fosse lo storico dei Longobardi Paolo Diacono. Capo, *Paolo Diacono*, p. 154.

[209] L'uso di questi termini pare suggerire che questo tipo di oreficeria fosse «bizantina o bizantineggiante». Rotili, *Arti figurative e arti minori*, p. 926.

[210] Si tratta probabilmente di pulpiti.

[211] L'autore forse si riferisce al fatto che l'estremità delle torri aveva una forma piramidale. Schipa, *Il Mezzogiorno d'Italia anteriormente alla monarchia*, p. 35; Russo Mailler, *Il ducato di Napoli*, p. 359. Dubbi sono stati espressi sul fatto che si trattasse di torri campanarie. Lucherini, *La cattedrale di Napoli*, p. 110.

[212] Basandosi sul particolare che nel Medioevo il termine *ecclesia* fosse utilizzato per edifici di varie dimensioni, V. Lucherini ipotizza che a san Pietro fosse stata dedicata una cappella, non una chiesa. Lucherini, *La cattedrale di Napoli*, p. 110. Per la maniera in cui le due torri e San Pietro erano disposte, vedi le ipotesi di Lucherini, *La cattedrale di Napoli*, pp. 111 sgg.

Stefano tornò subito in città, dove fu onorevolmente accolto e così cominciò a occuparsi delle cose divine come se vi fosse stato istruito fin da bambino. Sua moglie, che egli aveva quando era ancora console, era morta da molti anni.

Stefano inviò a Roma tre chierici, i quali furono ottimamente istruiti presso la scuola dei cantori ed educati in ogni sacro ordine dei Romani, dopodiché fecero ritorno a casa[207]. Stefano ordinò prete cardinale uno di loro, Leone Maurunta; gli altri chierici li mandò invece dal levita Paolo nel monastero di san Benedetto[208]. Uno di questi, di nome Giovanni, che fu poi ordinato diacono, brillò per la sua grande erudizione.

Perché dilungarsi? Se volessi scrivere ogni cosa che fu compiuta nel corso del suo sacro vescovado, esse arrecherebbero fastidio ai lettori e ci lascerebbero storditi. Ricordiamo i monili preziosi e le grandi opere e tralasciamo le cose vili.

Come ornamento della santa chiesa egli fece infatti fare una croce d'oro di meravigliosa fattura, chiamata *spanoclasto* e *antipenton*[209]. Allo stesso fine ordinò di fare anche tre calici d'oro e una patena d'oro, che fece decorare intorno e in mezzo con gemme. Fece fare due paia di *mascellari*[210] scolpiti in oro nei quali si leggono i vangeli durante le feste. Fece fare dei veli sacri per il santo altare che ordinò di decorare con oro e gemme, facendo porre il suo volto e il suo nome su tutti.

Dentro l'episcopio edificò un'abside, un'opera sicuramente non modesta, e due torri dalla punta molto alta[211] sotto le quali ordinò di costruire la chiesa di san Pietro[212], che fu adornata con opere magnifiche. Davanti al suo ingresso fece dipingere i sei concili dei santi padri[213], aggiungendo da un lato un *solarium* di non piccole dimensioni[214]. Per il vitto dei chierici acquistò molte proprietà con numerosi uomini. All'interno della città fece inoltre fare tre monasteri che dedicò ai nomi dei santi martiri Festo[215] e Pantaleone[216] e al santo confessore Gaudioso[217]. In essi, che erano stati dotati di numerosi beni, egli insediò alcune monache sotto la guida di una badessa. Al monastero di san Gaudioso

[213] L'autore si riferisce ai primi sei concili ecumenici. Si ipotizza che Stefano II avesse tratto ispirazione dai dipinti situati a San Pietro a Roma e avesse in questo modo voluto sottolineare la sua opposizione all'iconoclasmo e la sua adesione alla politica religiosa del papato. La loro realizzazione è fatta risalire al periodo precedente al concilio di Nicea (787), che condannò le posizioni iconoclastiche. Lucherini, *La cattedrale di Napoli*, pp. 100-109.

[214] V. Lucherini ritiene che questo *solarium* non fosse una terrazza, ma «un ambiente chiuso da portici o da una balaustra». Lucherini, *La cattedrale di Napoli*, pp. 117-118. Secondo questa studiosa, le strutture fatte costruire da Stefano II imitavano quelle presenti a Roma nella chiesa di san Pietro. Lucherini, *La cattedrale di Napoli*, pp. 119-124.

[215] Il diacono Festo fu giustiziato insieme ad altri cristiani campani a Pozzuoli durante la persecuzione ordinata dall'imperatore Diocleziano (294-305). Ambrasi, *Il cristianesimo e la Chiesa napoletana dei primi secoli*, pp. 664-666.

[216] Anche Pantaleone fu martirizzato sotto Diocleziano. Il monastero a lui dedicato fu in seguito incluso in quello di san Gregorio Armeno. Capasso, *Topografia della città di Napoli nell'XI secolo*, p. 170; Schipa, *Il Mezzogiorno d'Italia anteriormente alla monarchia*, p. 35; Arthur, *Naples, from Roman Town to City-State*, p. 71.

[217] Si ipotizza che Stefano II avesse fatto restaurare un precedente cenobio istituito da san Gaudioso. Esso si trovava sull'altura di Caponapoli. Capasso, *Topografia della città di Napoli nell'XI secolo*, pp. 158-159; Ambrasi, *Il cristianesimo e la Chiesa napoletana dei primi secoli*, pp. 699 sgg.; Cilento, *La Chiesa di Napoli nell'alto Medioevo*, pp. 661-664; Arthur, *Naples, from Roman Town to City-State*, p. 76.

sanctę Fortunatę, in qua corpus eiusdem martyris allatum a Patriensi ecclesia, ubi ipsa prius voluit sepeliri, magno cum honore condidit.

His ita peractis, ecclesia Salvatoris, quę de nomine sui auctoris Stephania vocitatur, divino, quod flens dico, iudicio igne cremata est. Moris enim fuit, ut cereus sanctus inormi mensura porrectus propter dominicę resurrectionis honorem a benedictionis exordio usque ad alterius diei missarum // (f. 105^v) expleta sollemnia non extingueretur. Nocte igitur quadam ipsius festivitatis cum solito dimitteretur accensus, cunctis quiescentibus, ignis per aranearum forte congeriem in laquearia ipsius ecclesię pervenit et sic demum ęstuavit in omne ędificium. Tunc pṛedictus pontifex magno merore infectus, consolari nequivat.

Sed Omnipotens, qui deducit ad inferos tribulationis et reducit, qui post lacrimationem et fletum exultationem infundit, tamdem sua ineffabili pietate triste cor tanti patris lętificare dignatus est. Ac deinde totius populi forti roboratus adiutorio, eandem renovavit ecclesiam, versibus // (f. 106^r) ad instar Fenicis descriptis. Ad cuius etiam insigne cyburium argento ad instar pavonum vestivit et ammones ex eodem decoravit metallo. Corpora quoque sanctorum Euticetis et Acuti martyrum ibidem, multis terris et hospitibus donatis, cum summo honore collocavit.

[43.] Huius denique temporibus Constantinus Caballinus, diabolica instigatus supervia cum Romam dominaturus venire conaretur, vitam cum regno crudeli morte amisit, clamans et heiulans, se vivum perpeti tartareas poenas.

Per idem vero tempus domnus Stephanus iunior apostolicus, Desiderio Langobardorum rege Romane sedi infenso // (f. 106^v), ad Carolum pium Francorum imperatorem properavit, qui cum summa reverentia susceptus, quanta et qualia Romano privilegio non cessaret Desiderius inferre, potestati eius suggessit. De quibus statim Carolus, sua missa legatione, Desiderium ammonuit. Sed ille feroci pectore talia spernens, coepto permanebat in malo. Unde postea miser, perdito regno, in exilio vitam finivit.

---

[218] Si ritiene che i corpi di santa Fortunata e dei suoi fratelli fossero stati portati in Campania dalla Palestina. La chiesa nella quale erano conservate le sue reliquie prima della traslazione risaliva al quinto secolo ed era situata nei pressi di Literno. Pagano, *La basilica di Santa Fortunata a Liternum*, pp. 179-188; Arthur, *Naples, from Roman Town to City-State*, pp. 75-76.

[219] Vedi nota in *Gesta episcoporum Neapolitanorum*, c. 12.

[220] Cfr. Primo Libro di Samuele 2.6: «Dominus mortificat et vivificat deduct ad infernum et reducit».

[221] Cfr. Tobia 3.22: «post lacrimationem et fletum exultationem infundis».

[222] L'autore voleva probabilmente riferirsi al mito della Fenice risorta dalle proprie ceneri. Nicola Cilento invece sostiene che ci fosse un'iscrizione in «versi disposti *ad instar Fenicis*, come egli (Giovanni Diacono) complicatamente si esprime per indicare il sistema alternato di esametri e pentametri, rinascenti l'uno dall'altro», mentre Michelangelo Schipa crede che fosse stata apposta un'iscrizione «in forma di fenice» simboleggiante la rinascita dalle ceneri della chiesa. Di quest'ultima opinione è anche Vinni Lucherini. Cilento, *La cultura e gli inizi dello studio*, p. 580; Schipa, *Il Mezzogiorno d'Italia anteriormente alla monarchia*, p. 35; Lucherini, *La cattedrale di Napoli*, p. 95.

[223] Eutiche e Acuzio fanno parte dei cosiddetti martiri puteolani, giustiziati durante la persecuzione di Diocleziano. I loro resti furono sepolti in una villa suburbana di Pozzuoli. Ambrasi, *Il cristianesimo e la Chiesa napoletana dei primi secoli*, pp. 664-66, 692.

[224] Nessun'altra fonte conferma questa affermazione. Si tratta con ogni probabilità di un'invenzione di Giovanni Diacono o della fonte da cui attinse, mirante a dipingere a tinte fosche il sovrano bizantino. Per un

aggiunse pure la basilica di santa Fortunata, nella quale pose con tutti gli onori il corpo della martire portato dalla chiesa di Patria, dove ella aveva voluto essere seppellita[218].

Compiute così queste cose, la chiesa del Salvatore, che dal nome del suo costruttore era chiamata Stefania[219], per volontà divina, cosa che dico piangendo, fu distrutta dal fuoco. Come è infatti usanza, in onore della resurrezione del Signore, un santo cero di enormi dimensioni non fu spento dall'inizio della benedizione fino alla fine delle messe solenni del giorno successivo. La notte della medesima festività, quando, come al solito, lo si lasciava acceso e tutti stavano dormendo, il fuoco arrivò al soffitto della chiesa, forse tramite le numerose ragnatele, e così si diffuse per tutto l'edificio. Colpito da una così grande disgrazia, il predetto pontefice non riuscì perciò a trovare consolazione.

L'Onnipotente, che porta agli inferi della tribolazione e poi riporta indietro da essi[220] e che, dopo le lacrime e i pianti, infonde la letizia[221], grazie alla sua grande pietà si degnò tuttavia di rallegrare il cuore di un così grande padre. E quindi, aiutato da tutta l'energica popolazione, Stefano fece ricostruire la chiesa, così come era avvenuto per la Fenice descritta nei versi[222]. A somiglianza dei pavoni la rivestì di un insigne ciborio d'argento e la decorò con amboni dello stesso metallo. Donate alla chiesa molte terre e uomini, vi pose con tutti gli onori anche i corpi dei santi martiri Eutiche e Acuzio[223].

[43.] Ai suoi tempi, Costantino Cavallino, istigato da una diabolica superbia, cercò di andare a Roma per soggiogarla[224] e per tale motivo perse con una morte crudele la vita insieme al regno; urlando e disperandosi, fu, mentre era ancora vivo, condotto alle pene del Tartaro[225].

Nel medesimo periodo, poiché il re dei Longobardi era ostile a Roma, sua signoria papa Stefano il giovane si recò dal pio imperatore dei Franchi Carlo[226], che lo ricevette con grande rispetto, e riferì a sua eccellenza quante e quali cose Desiderio[227] non cessava di compiere contro i territori romani[228]. Per questo motivo Carlo ammonì subito Desiderio tramite una sua ambasceria. Ma quello, che aveva un animo feroce, disprezzò quei messaggi e continuò a compiere le malvagie azioni che aveva iniziato a fare. Perso il regno, il misero poi finì la sua vita in esilio[229].

---

approfondimento sulla maniera in cui l'autore napoletano descrive Costantino V, vedi l'introduzione e Berto, *The others and their stories*, pp. 39-40.

[225] Secondo la religione greca, il Tartaro era situato sottoterra e rappresentava una parte del regno dei morti. Giovanni Diacono lo usa come sinonimo di inferno. Un'espressione simile, «Tartareis flammis (nelle fiamme del Tartaro)», è presente in Pauli Diaconi *Historia Langobardorum*, I, 26, p. 65, linea 20.

[226] Si tratta ovviamente di Carlomagno che in quel periodo non deteneva ancora il titolo imperiale. La sua incoronazione a imperatore avvenne nel Natale dell'800.

[227] Desiderio fu re dei Longobardi dal 757 al 774.

[228] Il cronista ha fatto confusione, perché fu papa Adriano a chiedere l'intervento di Carlo contro Desiderio. Adriano però non si recò mai oltralpe. Alla corte franca invece andò nel 754 Stefano II, il quale sollecitò l'aiuto di Pipino III, padre di Carlomagno, contro il re longobardo Astolfo. Cfr. Noble, *La repubblica di San Pietro*, pp. 89 sgg. e 133 sgg. e Barbero, *Carlo Magno*, pp. 28 sgg.

[229] Nel 774 Carlo conquistò Pavia, ponendo così fine al dominio longobardo in Italia. Negli annali detti di Eginardo, si riferisce che, espugnata Pavia, il sovrano franco tornò oltralpe portando con sé Desiderio. *Annales qui dicuntur Einhardi*, p. 39.

[44.] Sub eodem quoque antistite Arechis[a] Beneventanus princeps inter multa alia optulit in ecclesia sancti Ianuarii per pręcepti seriem locum qui Planuria nominatur cum omnibus rebus et super altare ipsius ecclesię // (f. 107[r]) pretiosissimum cooperuit mantum.

[45.] His igitur diebus Iohannes, cui cognomen Niustetis erat, consecratus patriarcha ab hereticis, suis complicibus, cęlesti respectu ad sanctam matrem ecclesiam reversus est. Ibique multis lacrimis et gemitibus se errasse confitens, vitam excessit.

Eodemque tempore sub Costantino[b] augusto, Leonis filio, et Hereni matre eius, Adriano scilicet apostolicę sedis pręsulę, in Nicea multorum episcoporum actum est concilium. In quo pręsentibus Romanę sedis apocrisiariis, residentibus etiam prędictis imperatoribus cum Tarasio patriarcha, sinodali traditione sanxerunt, ut sanctę imagines in honore // (f. 107[v]) pristino religiosius venerentur, anathematizantes Anastasium et Constantinum, eiusdem impietatis heresiarchas. Fuit autem temporibus Stephani[c] et Adriani apostolicorum. Qui, decurso septuagesimo ętatis sue anno, pacificus migravit e sęculo. Sepultus est autem in monasterio sancti Ianuarii intus absidam ecclesię sancti Stephani protomartyris, currente indictione octaba.

[46.] Paulus episcopus sedit annos viginti, menses quattuor[d], dies sex[e]. Scribere igitur incipientes, qualiter iste pontificali culmine sit sublimatus, studiosos precamur lectores, ut non ęgre accipiant et nobis // (f. 108[r]) imputent aliquid narrasse ineptum, quia utilius est veritatem proferre quam vitantes quicquam ire per anfractam locutionem.

Defuncto igitur domno Stephano episcopo Theophilactus, gener eius, consulatum regebat Parthenopensem. Qui, obstinatus avaritia, nolebat quempiam ex clericali officio promovere ad sacrum ordinem, dicens: «Nequeo exinde amaricari Eupraxiam meam uxorem». Illa quoque quasi[f] comperta occasione referebat: «Lętati estis de morte genitoris mei. Mihi credite, nullus ex vobis ad episcopatum ascendet».

Diu autem ista vertentes, coeperunt omnes acclamare: «Date nobis quem vultis, // (f. 108[v]) quia sine pastore esse non possumus». Tum illa, femineis flammis accensa,

---

[a] Arichis *Capasso*. [b] Constantino *Waitz Capasso.* [c] *Un'altra mano ha scritto* Sthephani *su abrasione di* Pauli. [d] quattuor *è scritto da una mano diversa su spazio vuoto lasciato da C. La* r *finale è scritta in interlinea.* [e] sex *è scritto da una mano diversa su spazio vuoto lasciato da C.* [f] *C aggiunge* u *in interlinea a* qasi.

[230] Il duca di Benevento Arechi II (758-787) si proclamò principe dopo che Carlo ebbe conquistato la parte settentrionale e centrale del regno longobardo. Per fronteggiare meglio i Franchi, che desideravano impossessarsi anche dell'Italia meridionale, egli condusse una politica di non belligeranza con i Napoletani che portò alla stipulazione di un *pactum* verso il 780. La località donata a San Gennaro era probabilmente situata presso Pozzuoli. Bertolini, *Arechi II*, pp. 75-76; Cassandro, *Il ducato bizantino*, pp. 41-43; Russo Mailler, *Il ducato napoletano*, p. 361.

[231] In realtà il patriarca era Paolo IV, il quale, poco prima di morire, si era ritirato in un monastero e si era pentito per non essersi opposto all'iconoclastia. Treadgold, *The Byzantine Revival*, p. 75. *Niustetis* sembra essere la traslitterazione di Νηστευτής ("digiunatore"), soprannome con cui era conosciuto il patriarca di Costantinopli Giovanni IV (582-595). Non è chiaro perché Giovanni Diacono abbia compiuto questo errore.

[232] Costantino VI (780-797).

[233] Leone IV (775-780).

[234] Irene (780-802).

[44.] Sotto il medesimo vescovo, il principe di Benevento Arechi, tra le molte cose che compì in favore della chiesa di san Gennaro, fece porre per iscritto la donazione di una località chiamata Pianura con tutti i beni annessi e coprì l'altare della medesima chiesa con un manto preziosissimo[230].

[45.] In quei giorni Giovanni, il cui cognome era Niustete, che era stato consacrato patriarca dagli eretici suoi complici, per rispetto di Dio, tornò alla santa madre Chiesa. Dopo avere ammesso con molte lacrime e gemiti di avere sbagliato, egli terminò la sua vita[231].

In quello stesso periodo, durante il governo dell'imperatore Costantino[232], figlio di Leone[233] e di sua madre Irene[234], e del presule della sede apostolica Adriano[235] fu fatto un concilio con molti vescovi a Nicea. In esso erano presenti i rappresentanti della sede romana e anche i suddetti imperatori ed il patriarca Tarasio[236]. Per decisione sinodale si sancì che le sante immagini fossero religiosamente venerate come in precedenza e che fossero scomunicati Anastasio e Costantino, eresiarchi di quell'empietà[237]. Esso ebbe luogo ai tempi dei papi Stefano e Adriano.

Trascorso il settantesimo anno di età, il vescovo Stefano migrò pacificamente da questo mondo[238]. Fu sepolto nel monastero di san Gennaro all'interno dell'abside della chiesa di santo Stefano protomartire durante l'ottava indizione[239].

[46.] Il vescovo Paolo sedette sul trono vescovile per vent'anni[240], quattro mesi e sei giorni.

Cominciando a scrivere in che modo egli fu elevato alla sommità del pontificato, preghiamo i dotti lettori di non prendere ciò malamente e di non imputare a noi di avere narrato qualcosa di sconveniente, poiché è più utile riferire la verità piuttosto che andare per discorsi oscuri, evitando di riportare ogni cosa.

Alla morte di sua signoria il vescovo Stefano, suo genero Teofilatto reggeva il consolato partenopeo[241]. Questi, poiché era avaro, non aveva voluto promuovere al sacro ufficio nessuno di coloro che ricoprivano la carica di chierico dicendo: «Non voglio amareggiare mia moglie Euprassia». Comportandosi come se avesse trovato il momento giusto, ella aveva anche affermato: «Vi siete rallegrati della morte di mio padre. Credetemi. Nessuno di voi ascenderà all'episcopato».

Essendo questa situazione durata a lungo, tutti cominciarono a urlare: «Dateci chi volete, poiché non possiamo rimanere senza pastore». Quella allora, accesasi di furore

---

[235] Adriano (772-795).

[236] Tarasio fu patriarca di Costantinopoli dal 784 all'806.

[237] Si tratta del settimo concilio ecumenico che si tenne a Nicea nel 787 e che condannò l'iconoclasmo. L'autore probabilmente si riferisce ai patriarchi di Costantinopoli Anastasio (730-754) e Costantino II (754-766). Per un approfondimento su questi eventi e relativa bibliografia, vedi Brubaker - Haldon, *Byzantium in the Iconoclastic Era*, pp. 260-276.

[238] Il vescovo Stefano II è l'unico personaggio di cui Giovanni Diacono riporta l'età, un'informazione raramente presente nelle cronache altomedievali.

[239] V. Lucherini ipotizza che questo sito sia da identificare con l'oratorio fatto costruire dal vescovo Vittore davanti alla basilica extramuraria di san Gennaro. Lucherini, *La cattedrale di Napoli*, p. 110.

[240] Secondo P. Bertolini, gli anni erano ventiquattro. Bertolini, *La serie episcopale napoletana*, pp. 415-417.

[241] Teofilatto (794-801) succedette a Gregorio (767-794), figlio di Stefano II.

hunc Paulum popularem et laicum, licet orbatum uxore, comprehendens, tradidit illis; sed cum reniti nemo auderet, ilico tonsum electum sibi fecerunt. Non post multos autem dies pergens ad sedem Romuleam, a domno Adriano episcopus est effectus.

Hic cum reversus esset, ex argento, quod domnus Stephanus, decessor eius, reliquerat, sanctum induit et deauravit altarium ecclesię Stephanię. De reliquo vero fecit ceraptatas quinque, ex quibus duas deauravit. Ante ingressum vero ipsius episcopii fabricavit magnum horreum et intrinsecus unum cubiculum. Depinxit quoque et turrem, quę est ante ecclesiam sancti Pe//(f. 109ʳ)tri, et reliquias in altare eiusdem ecclesię posuit, quia pręventus morte domnus Stephanus non illud dedicavit.

Quędam igitur Eupraxia religiosa femina fabricavit in regione Albiensi monasterium, quod ecclesię sanctę Dei genetricis coniunxit, in quo a prędicto episcopo abbatissa est ordinata.

[47.] In ipsis denique temporibus Herenᵃ imperatrix Constantinum augustum, filium suum, lumine privavit; et ipsa non multo post a Niceforo capta in monasterio vitam finivit. Hic etenim Nicephoriusᵇ, cum vellet Bulgarorum sibi subiugare provinciam, multos affectos depredationibus, ad postremum in artissimis locis fugatos, possidebat. Sed quia periculosa est desperatio, subito // (f. 109ᵛ) Vulgari irruentes, cum multis aliis ipsum peremerunt.

[48.] Sub eodem quoque tempore conspirantes viri iniqui contra Leonem tertium Romanę sedis antistitem, comprehenderunt eum. Cuius cum vellent oculos eruere, inter ipsos tumultus, sicut assolet fieri, unus ei oculus paululum est lęsus. Hic tamen fugiens ad Carolum regem, spopondit ei, ut, si de suis illum defenderet inimicis, augustali eum diademate coronaret. Carolus autem optatam audiens promissionem, e vestigio cum magno

---

ᵃ Hereni *Waitz*. ᵇ Nicephorus *Waitz*. Niceforius *Capasso*.

²⁴² J. Martinez Pizarro ha accostato la misoginia che tale brano rileva a quella che il cronista Agnello ravennate (nono secolo) evidenzia, narrando il modo in cui Rosmunda si era vendicata di suo marito, il re dei Longobardi Alboino. Martínez Pizarro, *Writing Ravenna*, p. 35. In ambedue i casi si tratta certo di misoginia, ma la differenza tra Agnello e Giovanni Diacono è notevole. Lo storico ravennate infatti trae spunto dal comportamento di Rosmunda per mettere in guardia i mariti dalle loro mogli, suggerendo di non provocare mai la loro ira. Agnelli Ravennatis *Liber pontificalis ecclesiae Ravennatis*, c. 97.

²⁴³ Per le diverse interpretazioni di questo brano, vedi l'introduzione.

²⁴⁴ Si ritiene che Paolo III fosse stato eletto alcuni mesi dopo la morte di Stefano II, probabilmente nell'autunno del 794. Per quanto riguarda la consacrazione episcopale da parte di Adriano I, essa avvenne necessariamente prima del 25 dicembre del 795, perché il pontefice morì in quel giorno. Bertolini, *La serie episcopale napoletana*, pp. 412-413.

²⁴⁵ Secondo G. Cassandro, il particolare che Paolo III avesse usato l'argento lasciato da Stefano II costituirebbe la prova che il riferimento di Giovanni Diacono all'avarizia del duca Teofilatto non è «senza fondamento». Cassandro, *Il ducato bizantino*, p. 50.

²⁴⁶ L'episcopio di Napoli era costituito da un complesso di chiese, cappelle, case ed edifici di vario tipo. Si ritiene che fosse nella zona tra via Donnaregina, via Duomo e via Tribunali. Schipa, *Il Mezzogiorno d'Italia anteriormente alla monarchia*, p. 44. V. Lucherini ipotizza che l'area descritta dal cronista si trovasse nella

femmineo[242], prese Paolo, un uomo del popolo e laico, ma rimasto senza moglie, e lo diede a loro. Dato che nessuno aveva osato rifiutare, lo tonsurarono e lo elessero[243]. Non molti giorni dopo, Paolo andò a Roma e fu fatto vescovo da sua signoria Adriano[244].

Quando egli ritornò, ricoprì e decorò l'altare della chiesa Stefania con l'argento che il suo predecessore, sua signoria Stefano, aveva lasciato[245]; con la parte rimanente fece fare anche cinque portaceri, due dei quali fece dorare. Di fronte all'ingresso dell'episcopio fece costruire un grande deposito di grano e un cubicolo[246]. Fece anche dipingere la torre, che è davanti alla chiesa di san Pietro[247], e pose alcune reliquie nell'altare di quella chiesa, poiché, prevenuto dalla morte, sua signoria Stefano non aveva potuto consacrarlo.

Una donna religiosa, una certa Euprassia[248], fece edificare nella zona albiense un monastero che unì alla chiesa della santa madre di Dio e di cui fu ordinata badessa dal vescovo[249].

[47.] In quei medesimi tempi, l'imperatrice Irene privò della luce suo figlio l'imperatore Costantino[250]. Non molto tempo dopo, fu imprigionata da Niceforo e terminò la sua vita in un monastero[251]. Poiché questo Niceforo voleva soggiogare la provincia dei Bulgari, ne colpì molti con varie razzie e infine li fece fuggire in luoghi molto angusti. Ma, poiché la disperazione è pericolosa, i Bulgari attaccarono improvvisamente e lo uccisero insieme a molti altri[252].

[48.] In quel tempo alcuni uomini malvagi cospirarono contro il vescovo della sede romana Leone terzo e lo catturarono. Essi volevano strappargli gli occhi, ma, come di solito avviene, scoppiò un dissidio tra di loro e gli fu ferito solamente un occhio[253]. Egli quindi fuggì da re Carlo e gli offrì di incoronarlo con il diadema imperiale, se lo avesse difeso dai suoi nemici. Carlo, udita la promessa fattagli, partì con un grande esercito,

---

parte meridionale dell'episcopio e che costituisse l'area di passaggio tra la Napoli "laica" e la residenza del vescovo. Lucherini, *La cattedrale di Napoli*, p. 119.

[247] Secondo V. Lucherini, questa torre corrisponde al «blocco centrale» situato tra le due torri fatte edificare dal vescovo Stefano II e, poiché esso aveva «un piano elevato di non esigua altezza», poteva «sembrare una torre». Lucherini, *La cattedrale di Napoli*, p. 119.

[248] Sulla base di quanto è riportato nei *Gesta* ritengo che non si possa identificare questa Euprassia con la figlia del vescovo Stefano II e moglie del duca Teofilatto, come sostengono Capasso, *Topografia della città di Napoli nell'XI secolo*, p. 165, e Arthur, *Naples, from Roman Town to City-State*, p. 161. Contro tale identificazione si era espresso anche Schipa, *Il Mezzogiorno d'Italia anteriormente alla monarchia*, p. 47.

[249] Si tratta del monastero di s. Maria «de Albino», che in seguito fu chiamato Donnalbina. Schipa, *Il Mezzogiorno d'Italia anteriormente alla monarchia*, p. 47; Russo Mailler, *Il ducato di Napoli*, p. 361.

[250] Nel 797 Irene fece accecare suo figlio Costantino VI, che morì a causa delle ferite riportate, e s'impossessò del potere. Ostrogorsky, *Storia dell'impero bizantino*, p. 165.

[251] Nell'802 Irene fu deposta in seguito a una congiura. Al suo posto fu eletto Niceforo (802-811). Ostrogorsky, *Storia dell'impero bizantino*, p. 169.

[252] Nell'811 Niceforo tentò di eliminare definitivamente i Bulgari. Dopo avere distrutto la loro capitale e rifiutato le offerte di pace, fu però sconfitto e ucciso. Ostrogorsky, *Storia dell'impero bizantino*, p. 175.

[253] Nel 799 papa Leone III (795-816) fu assalito durante una processione da un gruppo di Romani guidati da alcuni funzionari della corte papale, tra i quali c'erano alcuni parenti del precedente pontefice. Essi probabilmente volevano deporre Leone III. Noble, *La repubblica di San Pietro*, pp. 192-193. Il biografo del papa racconta che al pontefice furono strappati la lingua e gli occhi, che poi gli furono miracolosamente risanati. *Liber pontificalis*, II, pp. 4-5.

apparatu hostium proficiscens, urbemque capiens, illum in suam revocavit sedem. At ille statim Carolum coronavit et dignam ultionem in suos exercuit inimicos.

[49.] Eodem quoque tempore Niciforius[a], vir liberalibus apprime eruditus artibus, pa//(f. 110[r])triarcha Constantinopolitanus est sublimatus, nec multo post Leo spatharius yconomichus hereticus contra Michahelem augustum, qui eum suis prefecerat exercitibus, conspiravit. Michael[b] resistere non valens, timore perterritus, habitum sanctę conversationis quęsivit; quo accepto, in monasterio vitam[c] excessit.

[50.] In ipsis igitur diebus Anthimus Neapolitanorum consul ad honorem sancti Pauli amplam construxit ecclesiam, quam pulcriori decoravit pictura, ubi res multas multosque optulit servos. Et per pręceptum Leonis Romulei papę, cuius tunc iuris erat, monasterio sancti Andreę, quod Cella nova dicitur, conectit.

Fabricavit et idem consul cum coniuge sua monasterium sancti Cyrici et Iulitę, // (f. 110[v]) in quo duodecim statuit cellulas, quas hospitibus peregrinisque censuit habitari, qui ex ipsius ecclesię alerentur rebus. In istis utique duabus basilicis prędictus episcopus sacras collocavit reliquias.

Cum autem hęc gererentur, defunctus est Anthimus consul, et Neapoleos consulatus est orta seditio, cupientibus quidem multis honorem ducatus arripere. Tunc Neapolitani cupientes magis extraneo quam talibus suis subesse, miserunt Siciliam et inde advectum quendam Theoctistum sibi magistrum militum statuerunt. Cui, aliquantis decursis temporibus, ut Gręcorum moris est, successit Theodorus protospatharius[d].

[51.] Interea Beneventani, antiqui hostis instinctu, Grimohaldum principem suum, pene exanimem in le//(f. 111[r])cto languentem, peremerunt, et Siconem Furoiuliensem[e],

---

[a] Niciforus *Waitz.* [b] *Un'altra mano ha scritto* Michael *su un'abrasione.* [c] vita *Waitz.* [d] prothospatharius *Capasso.* [e] Foroiuliensem *Capasso.*

---

[254] Leone III si recò a Padeborn dal sovrano franco, che accettò di aiutare il papa e, dopo averlo reinsediato, mandò in esilio gli avversari di questi. Noble, *La repubblica di San Pietro*, pp. 268 sgg.; Barbero, *Carlo Magno*, pp. 99 sgg. Come è noto, l'elezione a imperatore di Carlomagno avvenne la notte di Natale dell'800. Su questo episodio esistono varie versioni, ma è rilevante che i *Gesta* siano l'unica opera dell'Europa occidentale a porre esplicitamente in relazione l'intervento di Carlomagno con la concessione della corona imperiale da parte di Leone III. Il fatto che il cronista bizantino Teofane riferisca che il papa aveva agito così per compensare il sovrano franco per l'aiuto fornito al pontefice induce a ipotizzare che l'autore napoletano avesse attinto la notizia da una fonte filobizantina. *The Chronicle of Theophanes Confessor*, p. 649. È anche possibile che Giovanni Diacono avesse espresso la sua opinione su quell'episodio.

[255] Niceforo diventò patriarca di Costantinopoli nell'806. Uomo dotato di grande cultura, compose opere storiche e vari testi in favore del culto delle immagini. Ostrogorskj, *Storia dell'impero bizantino*, p. 169.

[256] L'iconoclasta Leone tolse prima il suo appoggio all'imperatore Michele (811-813), fautore dell'ortodossia, che fu sconfitto dai Bulgari, dopodiché s'impadronì del titolo imperiale. Theophanes Continuatus, *Chronographia*, pp. 15-16. Cfr. Ostrogorskj, *Storia dell'impero bizantino*, p. 178. Questo episodio ebbe una certa risonanza in Occidente. Esso è infatti riportato anche dagli *Annales regni Francorum*, p. 139, e da Giovanni Diacono, *Istoria Veneticorum*, II, 30.

[257] Antimo fu duca di Napoli dall'801 all'818. Non c'è alcuna prova che egli fosse figlio o parente del precedente duca Teofilatto, come sostenuto da Schipa, *Il Mezzogiorno d'Italia anteriormente alla monarchia*, p. 44. Cfr. Cassandro, *Il ducato bizantino*, p. 50.

prese la città e lo rimise nella sua sede. Il papa incoronò subito Carlo e compì una giusta vendetta contro i suoi nemici[254].

[49.] Sempre in quel tempo Niceforo, uomo assai erudito nelle arti liberali, fu eletto patriarca di Costantinopoli[255]. Non molto tempo dopo, lo spatario iconomico Leone, un eretico, cospirò contro l'imperatore Michele dei cui eserciti era a capo. Michele, terrorizzato, non potendogli resistere, chiese di indossare l'abito monacale e, dopo averlo assunto, finì la sua vita in un monastero[256].

[50.] Nei medesimi giorni il console dei Napoletani Antimo[257] costruì una grande chiesa in onore di san Paolo, che decorò con belle pitture e alla quale poi elargì molti beni e servi[258]. Per precetto del papa di Roma Leone, sotto la cui giurisdizione allora essa era, egli la associò al monastero di sant'Andrea, che è detto Cella Nova. Insieme a sua moglie[259] il medesimo console fece costruire il monastero di san Ciriaco e Giulitta nel quale fece edificare dodici piccole celle che stabilì fossero usate da ospiti e pellegrini, che dovevano essere sfamati con i beni di quella chiesa[260]. In queste due basiliche il vescovo pose alcune sacre reliquie.

Mentre avvenivano queste cose, morì il console Antimo e nel consolato napoletano ci fu un tumulto, perché molti desideravano appropriarsi della carica ducale. I Napoletani allora, preferendo essere sottoposti a uno straniero piuttosto che a quei loro concittadini, mandarono alcuni ambasciatori in Sicilia[261], da dove fu portato un certo Teoctisto che i Napoletani stabilirono diventasse il loro comandante delle milizie[262]. Trascorso un po' di tempo, a questi[263], come è costume dei Greci, succedette il protospatario Teodoro[264].

[51.] Nel frattempo, i Beneventani, su istigazione dell'antico nemico[265], uccisero il loro principe Grimoaldo[266], che languiva quasi del tutto esangue nel proprio letto, e fecero loro

---

[258] S. Paolo Maggiore fu edificata nella zona del foro romano sui resti del tempio dei Dioscuri. Alcune parti dell'antico edificio sono ancora visibili sulla facciata della chiesa. Cilento, *La Chiesa di Napoli nell'alto Medioevo*, p. 678; Venditti, *L'architettura dell'alto Medioevo*, p. 814; Arthur, *Naples, from Roman Town to City-State*, p. 67.

[259] Il nome della moglie del duca Antimo era Teodonanda. Vedi *Gesta Episcoporum Neapolitanorum*, c. 52.

[260] Le caratteristiche di questo cenobio, che probabilmente si trovava presso la parte nord-est della cinta muraria di Napoli, hanno indotto a ipotizzare che fosse un *monasterium diaconiae*. Il numero delle celle era forse stato deciso in onore di quello degli apostoli. Ambrasi, *Le diaconie a Napoli nell'alto Medioevo*, p. 49.

[261] In questo periodo la Sicilia era ancora in mano ai Bizantini. I musulmani iniziarono infatti la conquista dell'isola nell'827.

[262] Secondo P. Bertolini, la fazione filobizantina aveva approfittato della morte di Antimo per impadronirsi del potere. Bertolini, *La serie episcopale napoletana*, p. 413, n. 212. V. Lucherini ritiene che in questo periodo Napoli «fosse ritornata forzatamente sotto il controllo diretto di Bisanzio». Lucherini, *La cattedrale di Napoli*, p. 125. Più sfumata e probabilmente più vicina alla realtà è l'interpretazione di G. Cassandro, che ipotizza che, su richiesta di alcuni Napoletani, il governatore della Sicilia avesse deciso di inviare un proprio ufficiale per evitare che in una zona strategicamente importante come Napoli, la quale ufficialmente era ancora nell'orbita bizantina, perdurasse «una situazione di disordine e di anarchia». Cassandro, *Il ducato bizantino*, pp. 51-52.

[263] Teoctisto governò Napoli dall'818 all'821. Cassandro, *Il ducato bizantino*, p. 52.

[264] Tale particolare sembra alludere a un avvicendamento di ufficiali bizantini.

[265] Ossia il diavolo.

[266] Grimoaldo IV fu principe di Benevento dall'806 all'817. L'anonimo autore del *Chronicon Salernitanum*, che scrisse verso la fine degli anni Settanta del decimo secolo, narra che il principe di

qui puerulus illic[a] cum sua matre venerat accola, ducem fecerant. His ita gestis, pręnominatus Paulus episcopus lętali occupatus infirmitate, mortis exolvit debitum, sepultusque est in ecclesia sancti Ianuarii martyris indictione [...], anno imperatoris [...]. Fuit autem temporibus Adriani et Paschalis papę.

[52.] Tiberius episcopus sedit annos viginti, mensem I, dies XI[b].

Hic quoque, quando a populo est electus, diaconatus gerebat officium. Et licet multi clericorum idonei illo in tempore essent, uno tamen voto placuit omnibus, ut iste eligeretur. Sed, quia virtus semper invidię patet et quanto ex humili quislibet // (f. 111[v]) excelsior fuerit, tanto venenatas susurronum[c] patitur linguas, nonnulli, qui sibi ipsum appetebant honorem, adeo illudendo eum infamarunt, ut etiam apostolicas pervenisset ad aures. Unde factum est, ut missi Romani venientes suptilique examinatione investigantes, reperirent istiusmodi emulatores totos invidia possideri. Sicque demum a Paschali papa episcopus consecratus, decenter repedavit ad propria.

Iste quoque altarium sanctę Stephanię ex ęneis circumcinxit quintanis. Fecit et multas ęreas ibidem coronas. In ipsis denique diebus Theodonanda, uxor Anthimi quondam ducis, in suo prętorio fecit monasterium sancti Marcellini, // (f. 112[r]) in quo abbatissam suam neptem cum ancillis Dei posuit.

[53.] Eodemque in tempore Neapolitani Theodorum, successorem Theophilacti ducis, propellentes, Stephanum, nepotem pręscripti Stephani pręsulis, consulem levaverunt.

Cuius invidia commotus Sico Beneventanorum princeps, multa mala, nunc obsidendo, nunc depredando[d], Parthenopensium irrogavit civitati, cupiens eam aliquo modo suo pessimo dominatui subiugare. Sed cum exinde non valeret ad effectum[e] sui venire, impios cives eiusdem urbis, datis multis muneribus, misit in lętale consilium ipsius ducis.

---

[a] illuc *Waitz.* [b] *Una mano diversa ha scritto* I, dies XI *su spazio lasciato in bianco.* [c] sussurronum *Waitz.* [d] de predando *Capasso.* [e] *Così Waitz.* affectum *C.*

Benevento fu assassinato da un certo Agelmondo, che era stato assoldato dai figli del beneventano Dauferio per vendicare un'offesa compiuta ai danni di loro padre da alcuni parenti di Grimoaldo IV. *Chronicon Salernitanum*, cc. 42-43. Erchemperto, un monaco cassinese che scrisse alla fine del nono secolo, riporta che Sicone e il conte di Conza Radelchi uccisero il principe di Benevento, il quale era in fin di vita. Erchemperti *Ystoriola Longobardorum Beneventum degentium*, c. 8. Sicone fu principe di Benevento dall'817 all'832.

[267] I *Gesta episcoporum Neapolitanorum* sono l'unica fonte a riferire che Sicone era di origini friulane. Nel suo epitaffio si riporta che egli era nato in Ausonia, ossia in Italia, e che, dopo la conquista franca del regno longobardo, sua madre lo aveva portato a Benevento. *Epitaphium Siconis Principis*, p. 649, vv. 5-10. Nel *Chronicon Salernitanum* invece si racconta che Sicone aveva lasciato Spoleto a causa di dissidi con re Pipino e che, mentre stava per recarsi a Costantinopoli, era stato invitato da Grimoaldo IV a rimanere nel principato di Benevento. *Chronicon Salernitanum*, cc. 49-50. Per un approfondimento sulle varie versioni, vedi Berto, *I raffinati metodi d'indagine*, pp. 201-205.

[268] P. Bertolini sostiene che la durata del vescovado di Paolo III fosse stata di 24 anni e che questi fosse morto o solennemente inumato il 17 febbraio dell'819. Bertolini, *La serie episcopale napoletana*, pp. 415-417.

[269] Il cronista ha commesso un errore, poiché Adriano fu papa dal 772 al 795.

[270] Pasquale (817-824).

[271] Questa frase si trova anche in una lettera di san Gerolamo (epistola numero 130, p. 185) e nel libro dei proverbi dello pseudo Beda (http://www.intratext.com/IXT/LAT0670/_PL.HTM).

duca il friulano Sicone, che era andato ad abitare là da bambino con sua madre[267]. Avvenuto ciò, il vescovo Paolo, colpito da una letale malattia, pagò il suo debito alla morte e fu sepolto nella chiesa del santo martire Gennaro, nell'indizione..., nell'anno dell'imperatore...[268] Fu vescovo ai tempi di papa Adriano[269] e Pasquale[270].

[52.] Il vescovo Tiberio sedette sul trono vescovile per vent'anni, un mese e undici giorni.

Quando fu eletto dal popolo, aveva la carica di diacono. E sebbene in quel tempo molti tra i chierici fossero idonei per quella carica, tuttavia piacque a tutti con voto unanime che fosse scelto lui. Ma poiché la virtù è sempre esposta all'invidia[271] e quanto più qualcuno si eleva da uno stato umile a uno eccelso, tanto più deve subire i bisbigli delle lingue velenose, alcuni che desideravano avere per sé quella carica diffamarono Tiberio con illazioni al punto che esse pervennero persino alle orecchie del papa. Accadde quindi che vennero alcuni legati romani, i quali, compiendo un'attenta inchiesta, scoprirono che tutti i rivali di Tiberio erano invidiosi. Egli fu quindi consacrato vescovo da papa Pasquale, dopodiché tornò onorevolmente a casa[272].

Tiberio adornò gli altari di Santa Stefania con lamine di bronzo. Nel medesimo luogo fece anche porre molte corone di bronzo. In quel periodo la moglie del defunto duca Antimo, Teodonanda, fece costruire nel suo pretorio[273] il monastero di san Marcellino[274] nel quale, insieme ad alcune monache, pose come badessa sua nipote.

[53.] In quel tempo i Napoletani scacciarono Teodoro, il successore del duca Teofilatto, ed elessero console Stefano[275], nipote del già menzionato presule Stefano[276].

Spinto dall'invidia, il principe dei Beneventani Sicone inflisse molti mali alla città dei Partenopei, ora assediandola, ora depredandola, desiderando soggiogarla in ogni modo al suo pessimo dominio. Ma, non essendo riuscito a ottenere alcun risultato[277], istigò con molti doni alcuni empi cittadini della medesima città a uccidere il duca.

---

[272] Il racconto di Giovanni Diacono non fornisce alcun elemento per ipotizzare che questi dissidi fossero stati provocati dal fatto che Tiberio fosse stato eletto con l'appoggio del partito filobizantino e che l'inchiesta papale fosse stata sollecitata per determinare se il nuovo vescovo aveva simpatie per l'iconoclastia, che in quel periodo stava nuovamente godendo del favore imperiale. Per questa supposizione, vedi Bertolini, *La serie episcopale napoletana*, pp. 418-419.

[273] Con questo termine si indicava il palazzo ducale. Capasso, *Topografia della città di Napoli nell'XI secolo*, p. 193; Arthur, *Naples, from Roman Town to City-State*, pp. 41-42.

[274] Questo monastero fu fondato nell'area retrostante la collina del Monterone dove era situata la residenza del duca. Si ritiene che San Marcellino fosse stato unito al monastero di san Festo fondato qualche anno prima dal vescovo Stefano II. Strazzullo, *La Chiesa univ. dei SS. Marcellino e Festo*, pp. 7-9; Cilento, *La Chiesa di Napoli nell'alto Medioevo*, pp. 662-664.

[275] Stefano II fu duca di Napoli dall'821 all'832.

[276] Non è chiaro quale parentela vi fosse tra il duca Stefano II e il vescovo Stefano II. Cfr. Schipa, *Il Mezzogiorno d'Italia anteriormente alla monarchia*, p. 47. Poco attendibile è l'informazione che Stefano II fosse marito della figlia del duca Teodoro, perché essa si trova nella parte interpolata dell'epitaffio di Stefano II. Russo Mailler, *Il senso medievale della morte*, pp. 98-100.

[277] Secondo Erchemperto, nel corso dell'assedio a Napoli, le truppe di Sicone erano riuscite ad aprire una breccia sulle mura della città e il duca partenopeo aveva convinto il principe di Benevento a entrare a Napoli il giorno successivo. Durante la notte i Napoletani avevano riparato le mura, rendendo così vano il successo dei Longobardi. Gli scontri sarebbero terminati, perché i Napoletani avevano chiesto l'aiuto dei Franchi. Erchemperti *Ystoriola Longobardorum Beneventum degentium*, c. 10. L'anonimo salernitano riferisce che

Quid multa? Ęstivo tempore, quando segetes reponuntur, // (f. 112ᵛ) eidem duci pacem petenti suos transmisit legatos, dans eis in preceptum, ut dolosis loquerentur Neapolitanis. Illi quoque venientes, ut conceptum, irato Deo, perficerent malum, simulaverunt se in ipsius episcopii ędibus applicare. Postera igitur die Stephanus consul cupiens desideratam pacem sancire, iunxit se cum eis ante fores ecclesię Stephanię. Tunc fautores Siconis impetum facientes, peremerunt suum consulem coram legatis eius.

Sed Dominus, iudex iustus, iustus redditor, qui nil sinit abire inultum, permisit unum ex his interfectoribus, Bonum nomine, ducatum arripere Parthenopensem. Qui // (f. 113ʳ) mox ut consul est factus, ex suis complicibus alios lumine privavit, alios perpetuo religavit exilio.

[54.] Per idem tempus Leo Constantinopolitanus imperator quendam Michahelium, suę necis consiliatorem, in vigiliis dominicę nativitatis comprehendit. Cuius cum distulisset propter eandem festivitatem vindictam, ille suis misit coniuratoribus, dicens: «Crastino ante tribunal examinis cunctos vos singillatim nominabo». Tum illi timore perculsi, in sancti Stephani protomartyris vicina sollemnitate eundem Leonem, matutinas referentem laudes, gladio percusserunt. Et statim excussum de carcere Michahelium augustali diademate coronarunt. // (f. 113ᵛ)

Adversus hunc Michahelium Syracusani cuiusdam Euthimii factione rebellantes, Grigoram patricium interfecerunt. Idcirco pręfatus augustus magnum contra eos vexavit exercitum, cuius pluralitate Syracusani fugere sunt compulsi. Ille quoque Euthimius Africam cum uxore et filiis petens, Arcarium ducem Saracenorum cum magno navium apparatu[a] super eosdem Gręcos adduxit. Cui Greci resistere non valentes, claustra eiusdem petierunt[b] civitatis et, coangustati valde, quinquaginta milia solidorum persol-

---

[a] apparatus *Waitz*. [b] petiverunt *Capasso*.

nel corso di questi scontri Sicone trafugò le spoglie di san Gennaro e le portò a Benevento e che il conflitto terminò con la promessa da parte dei Partenopei di pagare un tributo annuo a Sicone. *Chronicon Salernitanum*, c. 57. Un riferimento a questo episodio si trova anche nell'epitaffio di Sicone. *Epitaphium Siconis Principis*, p. 651, vv. 49-50 (edito anche in Russo Mailler, *Il senso medievale della morte*. p. 95). Cfr. Cassandro, *Il ducato bizantino*, pp. 54-56; Vuolo, *Agiografia beneventana*, pp. 220-224; Granier, *Napolitains et Lombards aux VIIIᵉ-XIᵉ siècles*, pp. 436 sgg. e Granier, *Conflitti, compromessi e trasferimenti di reliquie*, pp. 36 sgg.

[278] Cfr. Seconda lettera a Timoteo 4.8.

[279] Cfr. Giobbe 24.12.

[280] Bono fu duca di Napoli dal luglio dell'832 al gennaio dell'834. Bertolini, *La serie episcopale napoletana*, p. 430; Russo Mailler, *Il senso medievale della morte*, pp. 102-104.

[281] In base al particolare che nell'epitaffio di Bono si riferisca che questi, dopo essere diventato duca, aveva combattuto contro i Longobardi (Russo Mailler, *Il senso medievale della morte*. p. 103), P. Bertolini ritiene che sia falsa la notizia che Bono si fosse accordato col principe di Benevento Sicone per uccidere Stefano II. Bertolini, *La serie episcopale napoletana*, pp. 431 sgg. È tuttavia anche possibile che Bono avesse successivamente deciso di non mantenere gli accordi presi con i Beneventani. La circostanza che Giovanni Diacono non riporti nulla su queste campagne non significa necessariamente che il cronista le aveva volutamente omesse per non riferire niente di positivo su un duca, che aveva agito contro il vescovo di Napoli Tiberio. Occorre infatti tenere presente che Giovanni Diacono non era coevo a quegli eventi e che la sua opera si occupa essenzialmente dei vescovi e non dei duchi di Napoli.

Perché dilungarci?

In estate, quando si immagazzina il raccolto, egli inviò alcuni ambasciatori chiedendo la pace al duca e ordinando loro di parlare ai Napoletani traditori. Come era stato
stabilito, anch'essi vennero, dato che Dio era irato, per perpetrare il male, simulando di
recarsi negli edifici dell'episcopio. Il giorno successivo, il duca Stefano, volendo sancire
la pace desiderata, stabilì di trovarsi con gli ambasciatori davanti alle porte della chiesa
Stefania. Allora i seguaci di Sicone lo assalirono e uccisero il proprio console davanti
agli ambasciatori di Sicone.

Ma il Signore, che è un giudice giusto, ripaga in modo giusto[278] e non permette di
lasciare nulla d'invendicato[279], permise che uno di quegli assassini, di nome Bono, si
impadronisse del ducato partenopeo[280]. Questi, appena fu fatto console, privò della
luce alcuni suoi complici; gli altri li mandò in esilio per sempre[281].

[54.] Nel medesimo tempo, alla vigilia della natività del Signore, l'imperatore di
Costantinopoli Leone[282] fece arrestare un certo Michele che aveva tramato la sua morte.
Dato che l'imperatore aveva rimandato la sua vendetta a causa di quella festività,
Michele mandò a dire agli altri congiurati: «Domani, in presenza della commissione
d'inchiesta, menzionerò uno per uno tutti i vostri nomi». Quelli allora, terrorizzati dalla
paura, colpirono con la spada Leone, che stava dicendo le lodi mattutine nella vicina
solennità di santo Stefano protomartire. Essi liberarono subito dal carcere Michele e lo
incoronarono con il diadema imperiale[283].

I Siracusani insieme alla fazione di un certo Eutimio si ribellarono contro questo Michele
e uccisero il patrizio Gregorio. Per tale motivo l'augusto inviò contro di loro un grande
esercito e i Siracusani furono costretti a fuggire a causa del gran numero di soldati. Anche
Eutimio andò in Africa con la moglie e i figli e guidò contro i Greci il capo dei Saraceni
Arcario con un grande numero di navi[284]. Non potendo i Greci resistere, essi si ritirarono tra
le mura della città e, dopo un duro assedio, gli diedero cinquantamila solidi in tributo. Da

---

[282] Leone V (813-820).

[283] La descrizione del complotto e dell'uccisione di Leone V è sostanzialmente corretta. L'imperatore fu
ucciso nelle prime ore del mattino di Natale nella cappella palatina di Santo Stefano, Cfr. Treadgold, *The
Byzantine Revival*, p. 224.

[284] Secondo il *Chronicon Salernitanum*, c. 60, un certo Eufemio chiese l'intervento dei musulmani
per vendicarsi del fatto che, in cambio di denaro, sua moglie era stata data a un altro dal comandante
bizantino della Sicilia. Un anonimo cronista bizantino invece riferisce che Eufemio si era invaghito di
una monaca e l'aveva sposata. Per sfuggire alla punizione comminatagli, il Siciliano scappò in Africa dai
Saraceni e promise loro una grossa somma se l'avessero aiutato a prendere la Sicilia e a sostenere la sua
elezione a imperatore, cosa a cui essi assentirono. Theophanes Continuatus, *Chronographia*, pp. 81-82.
Si ritiene che egli avesse sollecitato l'aiuto dei musulmani per impadronirsi dell'isola e usarla come
base per impossessarsi del titolo imperiale. Per un approfondimento su questo personaggio, le fonti che
riportano la sua rivolta e i vari modi in cui essa è stata interpretata, vedi Vasiliev, *Bysance et les Arabes*,
pp. 66-70; Gabotto, *Eufemio e il movimento separatista nell'Italia bizantina*; Rossi, *Delle cause della sollevazione di Eufemio*; Gatto, *L'eco della Conquista araba della Sicilia*; Oldoni, *Anonimo salernitano del X
secolo*, p. 131, nota 236; Feniello, *Sotto il segno del leone*, pp. 22-23; Prigent, *La carrière du tourmarque
Euphèmios*, pp. 279-317.

verunt ei in tributum. Ex illo iam die impavidi grassantes, totam divastabant Siciliam. Ad postremum vero capientes Panormitanam provinciam, cunctos eius habitatores in captivitatem dede//(f. 114ʳ)runt. Tantummodo Lucas eiusdem oppidi electus et Symeon spatharius cum paucis sunt exinde liberati.

Denique in ipsis temporibus quidam Thomas simillimus Costantini[a] imperatoris, filii Herini, spe vana illectus, adeo Hismahelitas illusit, se Constantinum asserendo, ut permissu regis eorum coacto magno exercitu Constantinopolitanam obsideret urbem. Sed Dominus, qui delusores deludet[b], reddidit illi secundum adinventionem suam. In ipso enim precinctu[c] ancipiti[d] victores reddidit Gręcos atque in manus eorum eundem dolosum tradidit. Quo capto, ilico inclinatis duarum arbuscularum cacuminibus eum crurum tenus ligaverunt, eisque dimissis et in partes suas revertentibus, divisus est per medium // (f. 114ᵛ) et pro regno consecutus est perpetuum incendium.

[55.] Interea prędictus Tiberius episcopus tredecim annos in pontificali throno innocuus exegit; ceteros vero qualiter consumpserit, horresco referens. Sed quia scriptum novimus, quod iustus Dominus, in cuius manu sunt omnium corda viventium, flagellat omnem filium quem recipit, illud retexere non omittimus.

Pręfatus igitur Bonus, Stephani ducis necator, in eo anno, quo consulatum Neapolitanorum regere orsus est, contra sanctam ecclesiam ad cumulum suę perditionis multa coepit mala peragere. Cui cum hic idem antistes, in quantum virium erat, obsistere non dubitaret, eligens terreni quam cęlestis iram incurrere iudicis, ei iu// (f. 115ʳ)giter examen cominabatur divinum. Sed ille antiquę aspidis cauda aurem cordis optusus, adhuc quia spernebat[e] monita salutis, insuper ut funes peccatorum ad suum prolongaret interitum, lictorum verbositates magis attendebat.

Quid multis moror? Ad ultimum iniecit in eum manus et comprehendit eum atque carceralibus tenebris religatum arto in pane et aqua macerabat. Reliqua vero istius, qualiter fuerit qualiterque obierit, quia aptius in subsequentibus pertinere dinoscuntur, illic ea congruum annectere duximus.

---

[a] Constantini *Waitz Capasso.* [b] deludit *Capasso.* [c] procinctu *Waitz.* [d] *C aggiunge* ti *in interlinea ad* ancipi. [e] *Così Waitz.* spernebant *C Capasso.*

[285] I musulmani sbarcarono in Sicilia nell'827, conquistarono Palermo nell'831 e Siracusa nell'878. Feniello, *Sotto il segno del leone*, pp. 22-25.

[286] Si tratta di Costantino VI, che, come si è già visto in *Gesta episcoporum Neapolitanorum*, c. 46, era stato deposto dalla madre Irene.

[287] Insieme a Saraceni e Agareni, Ismaeliti era il modo in cui erano indicati i musulmani.

[288] Un'espressione simile si trova in Proverbi 3.34: «inlusores ipse deludet».

[289] Frasi simili si riscontrano in Osea 12.2: «iuxta adinventiones eius reddet ei» e Hieronymus, *Commentarii in Ezechielem*, II, 7: «et iuxta adinventiones eius reddam illi».

[290] Si tratta di Tommaso lo Slavo, un ufficiale bizantino che si rifiutò di riconoscere Michele II come imperatore e che tra l'820 e l'823 fu a capo di un'ampia coalizione di ribelli. Con l'aiuto dei musulmani egli assediò Costantinopoli tra l'821 e l'823. Per un approfondimento, vedi Lemerle, *Thomas le Slave*, pp. 255-297, e Treadgold, *Byzantine Revival*, pp. 228-244.

[291] Secondo le fonti bizantine a Tommaso furono amputati i piedi e le mani, dopodiché fu impalato. Cfr. Theophanes Continuatus, *Chronographia*, pp. 68-71; Treadgold, *Byzantine Revival*, p. 242.

quel giorno i Saraceni saccheggiarono e devastarono senza paura la Sicilia. Presero infine la provincia di Palermo e ridussero in prigionia tutti i loro abitanti. Solamente Luca, il vescovo di quel centro fortificato, e lo spatario Simone furono liberati insieme a pochi altri[285].

In quei tempi un certo Tommaso, assai somigliante all'imperatore Costantino, il figlio di Irene[286], indotto da una vana speranza, illuse gli Ismaeliti[287] dicendo di essere Costantino al punto che, col permesso del loro re, radunò un esercito e assediò la città di Costantinopoli. Ma il Signore, che delude coloro che illudono[288], gli restituì in modo adeguato la sua menzogna[289]. Egli fece vincere quella battaglia ai Greci e consegnò nelle loro mani l'imbroglione[290]. Come lo ebbero catturato, essi piegarono i rami di due piccoli alberi e lo legarono per le gambe; lasciateli andare, questi tornarono al loro posto e quello fu diviso a metà[291] e così al posto del regno ottenne il fuoco eterno.

[55.] Nel frattempo il vescovo Tiberio rimase sul trono pontificale senza alcun problema per tredici anni. Ho orrore a riferire il modo in cui trascorse i successivi[292]. Ma, poiché conosciamo quanto scritto a proposito del fatto che il giusto Signore, nella cui mano ci sono i cuori di tutti gli esseri viventi, colpisce ogni figlio che riceve[293], non ometteremo di riferire quegli eventi.

Nell'anno in cui iniziò a reggere il consolato dei Napoletani, il predetto Bono, l'uccisore del duca Stefano, cominciò a causare molti mali contro la santa Chiesa, incrementando così il numero dei suoi peccati[294]. Dato che il vescovo, che era un uomo energico, non ebbe alcun dubbio a opporglisi, perché preferiva incorrere nell'ira del giudice terreno piuttosto che in quello celeste, lo minacciò immediatamente di una punizione divina. Bono però, colpito nell'orecchio del cuore dalla coda dell'antica aspide[295], disprezzò molto i moniti di salvezza. Inoltre, per aumentare i lacci dei peccati[296] che lo portavano alla sua rovina, prestò più attenzione alle chiacchiere dei littori[297].

Perché perdo tempo?[298]

Il duca infine pose le sue mani sul vescovo, lo fece prendere, relegare nelle tenebre di un carcere[299], in un luogo angusto, e macerare a pane e acqua[300]. Le altre cose che compì, in quale modo e come morì, poiché è meglio riferirlo in modo ordinato, riteniamo corretto menzionarle in tale maniera.

---

[292] L'espressione «horresco referens» è presente nell'Eneide di Virgilio (II, verso 203), la "Vita di sant'Ambrogio" di Paolino (c. 18), la "Vita di san Marcello" di Venanzio Fortunato (c. 10) e la biografia di Carlomagno di Notkero (c. 21).

[293] Ebrei 12.6.

[294] Queste parole sono usate anche in *Moralia in Iob* di papa Gregorio Magno (XIV, 7): «ad cumulum perditionis suae».

[295] Ossia il diavolo.

[296] L'espressione «funes peccatorum» è presente in Salmi 118.61.

[297] L'autore probabilmente si riferisce ai consiglieri del duca.

[298] Questa frase è presente in P. Terentius Afer, *Andria*, verso 114.

[299] Le parole «carceralibus tenebris» sono usate in Gregorius Turonensis, *Historiarum libri X*, VII, 15, Ambrosius Autpertus, *Expositio in Apocalypsin*, II, 2, Ambrosius Autpertus, *Libellus de conflictu vitiorum atque virtutum*, c. 21, e *Liber de ortu et obitu patriarcharum*, c. 39.

[300] G. Cassandro e P. Bertolini ritengono che Tiberio fosse stato imprigionato perché si era opposto alla politica di Bono. Cassandro, *Il ducato bizantino*, p. 56; Bertolini, *La serie episcopale napoletana*, pp. 437-438. Non è da escludere che il dissidio fosse scoppiato perché Bono desiderava appropriarsi dei beni della Chiesa napoletana.

Fuit autem temporibus Paschalis et Eugenii Valentinique et pervenit usque ad Gregorium papam. // (f. 115ᵛ)

[56.] Iohannes episcopus sedit annos septem, menses VIIIIᵃ, dies XIIᵇ.

Si enim huius vitam vel mores, qualiter a iuventute iuste et pie vixerit, scribere temptavero, non dico meę adolescentię, cuius sensus propter ętatem adhuc intercluditur, verum etiam sagacioribus oneri fuerat. Tamen in quantum vires suppetunt, ob laudem eius posteris propagandam, de vite illius actibus aliquantulumᶜ enarrare curamus, obsecrantes prius, ut nullatenus irrideatur, quod non secundum sęculum ex nobili prosapia oriundus descendit, quia, qui rectę nobilitatis est, quę viget in Christo, novit Dominum ab initio pauperum egenorumque consortio usum.

Igitur ex infimis parentibus procreatus, paupe//(f. 116ʳ)rem cucurrit pueritiam. Cum autem adolevit, non, sicut illa ętas assolet, mundi secutus est illecebras, sed magis se preceptorum elegit subdere manibus, quatenus, litteris imbutus, soli Domino sciret vacare. Non enim magnopere liberalium artium, sed divinę doctrinę potissimum quęsivit magistros, utpote totum se Deoᵈ offerre cupiebat. Cuius desiderium Dominus misericorditer adimplere dignatus est. Nam divinę doctrinę eruditor pręclarus effulsit. Presertim sic scribere novit, ut ex officio cognomen acciperet et ab omnibus Iohannes Scribo vocaretur.

Pedes quoque eius raro platea tetigit. Simplicitatem columbę cum serpentis prudentia semper in corde retinuit. Pro // (f. 116ᵛ) conviciis non malum, sed oboedientiam exhibebat ac per hoc omnibus dulcis, omnibus carus. Nutu cęlesti ad diaconatus promotus est honorem. In corde vero illius eadem patientia, eadem perseverabat simplicitas, dolens magis aliorum quam sua convicia.

Maxime ex captione pręedicti Tiberii episcopi, ita ut ęgrotaret, afflictus est. Sed sicut supra retulimus cum pręedictus Bonus Tiberium tenebroso carcere et execrabili fame affligeret, iussit cunctos terque quaterque aggregari clericos, ut illis electum pręberet. Hic autem solus, nonnullis conantibus assumere, immo invadere eandem sedem, absens et contrarius ibat.

Ad ultimum vero multis affectus conviciis, adduc//(f. 117ʳ)tus est ante Bonum consulem. Cui feroci pectore, ore garrulo comminari coepit. Post paululum, furiis actus, iuravit, non alium nisi ipsum facere electum. At ille clamabat: «Pręsule meo vivo, non ero sedis invasor». Unde dux valde iratus, dixit, eundem iugulare Tiberium et totius episcopii servos possessionesque infiscari.

ᵃ *Un'altra mano aggiunge* VIIII *su spazio lasciato in bianco.* ᵇ *Un'altra mano aggiunge* XII *su spazio lasciato in bianco.* ᶜ *C aggiunge* u *in interlinea ad* aliqantulum. ᵈ Do *C.*

³⁰¹ Pasquale (817-824).
³⁰² Eugenio II (824-827).
³⁰³ Valentino (827).
³⁰⁴ Gregorio IV (827-844).
³⁰⁵ Il cronista computa gli anni di episcopato di Giovanni IV a partire dalla morte del vescovo Tiberio nell'842. In realtà, come si legge di seguito, Giovanni divenne vescovo di Napoli verso l'831, quando il suo predecessore era ancora in vita.

Fu vescovo ai tempi dei papi Pasquale[301], Eugenio[302] e Valentino[303] e giunse fino a papa Gregorio[304].

[56.] Il vescovo Giovanni sedette sul trono vescovile per sette anni, nove mesi e dodici giorni[305].

Se tentassi di scrivere della sua vita e dei suoi costumi e come visse giustamente e piamente fin dalla gioventù, il racconto risulterebbe pesante, non dico alla mia adolescenza, il cui senso a causa dell'età mi è ancora tenuto lontano, ma anche ai più sapienti. Tuttavia, finché le forze mi potranno aiutare[306], per tramandare ai posteri la sua fama, cercheremo di narrare alcuni eventi della sua vita, chiedendo come prima cosa che nessuno si beffi del fatto che egli non discendesse da una famiglia nobile, poiché ha la giusta nobiltà, la quale prospera in Cristo, colui che sa che il Signore è da sempre uso frequentare i poveri e i bisognosi.

Nato quindi da genitori umili[307], Giovanni fu povero durante l'infanzia. Diventato adolescente, non seguì le lusinghe del mondo, come è tipico di quella età, ma scelse piuttosto di porsi nelle mani dei precettori, poiché, istruito nelle lettere, sapeva di essere carente nella conoscenza del Signore. Infatti cercò soprattutto maestri bravi non nelle arti liberali, ma nella dottrina divina, poiché desiderava offrirsi completamente a Dio. Il Signore misericordiosamente si degnò di soddisfare il suo desiderio. Egli infatti risplendette nella conoscenza delle cose divine. Imparò soprattutto a scrivere in modo tale che dal suo incarico ricevette il soprannome e da tutti era chiamato Giovanni Scriba.

I suoi piedi inoltre toccarono raramente le strade[308]. Tenne sempre nel cuore la semplicità della colomba con la prudenza del serpente[309]. In risposta ai rimproveri non offriva il male, ma l'obbedienza e per tale ragione era gradito e caro a tutti. Per volontà divina fu promosso alla carica di diacono. Nel suo cuore rimasero la stessa pazienza e semplicità; si rammaricava più per i rimproveri rivolti agli altri che a lui.

Egli si afflisse moltissimo per la cattura del vescovo Tiberio al punto da ammalarsi. Ma, come abbiamo riferito sopra, Bono, mentre affliggeva Tiberio con una prigionia immersa nelle tenebre e una fame esecrabile, ordinò per tre, quattro volte, che tutti i chierici si riunissero, affinché eleggessero Giovanni. Solo lui invece era contrario a prendere indebitamente possesso della sede episcopale, sebbene alcuni cercassero di convincerlo ad assumerla. Infine, spinto da molte afflizioni, fu portato di fronte al console Bono. Questi, dall'animo feroce e la bocca garrula, cominciò a minacciarlo. Dopo un po', infuriato, giurò che non avrebbe avuto nessun altro se non lui. Giovanni rispose: «Non invaderò la sede vescovile, mentre il mio presule è ancora vivo». Il duca, arrabbiatosi moltissimo, quindi disse che avrebbe fatto sgozzare Tiberio e confiscare tutti i beni e i servi dell'episcopio.

---

[306] Questa espressione è usata da Caesarius Arelatensis, *Sermones*, *sermo* 60, c. 4; Iohannes II papa, *Epistulae*, n. 3, epilogus, p. 96; Gregorius Magnus, *Homiliae in euangelia*, lib. 1, *homilia*: 6, p. 44.

[307] Una frase simile è usata in Iordanes, *Getica*, p. 78: «ex infimis parentibus in Thracia natus».

[308] Ossia uscì raramente fuori di casa.

[309] Cfr. Matteo 10.16. Secondo l'autore della biografia del vescovo Atanasio, anche questo prelato aveva tali qualità. *Vita s. Athanasii*, c. 5, p. 131.

Tum ille undique angustatus, mentem per varia ducebat, hinc formidans de prẹsulis nece pontificatusque clade cẹleste examen, illinc apostolicam sententiam et populi infamationem. Sed ubi respectu misericordiẹ maluit humanum quam divinum subire detrimentum, ait ad consulem: «Si iureiurando sancire volueris, ut licentiam habeam ingrediendi ad Tiberium episcopum et nullatenus eum produces ex ipso // (f. 117ᵛ) episcopio nec quamlibet maculam facies in corpore eius, licet ad periculum capitis mei prebebo consensum». Hac ilico promissione percepta, electus est sublimatus. Tiberio denique episcopo quantum quietis quantumque exhibebat humanitatis, non est nostrẹ facultatis evolvere.

[57.] Bonus interea consul, expleto unius anni et sex mensium circulo, defunctus est; cui successit Leo, filius eius. Hunc autem Leonem post sex mensumᵃ dies socer eius Andreas pepulit et factus est ipse consul. Iste vero Andreas per rogum huius electi levavit Tiberium episcopum de lacu miseriẹ et tenebrarum et sub custodia posuit eum in cubiculo ante ecclesiam sancti Ianuarii martyris.

Contra hunc etenim Andream Sichardus Beneventanorum // (f. 118ʳ) princeps, filius Siconis, innumerabiles molitus est irruptiones. Pro quibus commotus Andreas dux, directo apocrisario, validissimam Saracenorum hostem ascivit. Quorum pavore Sichardus perterritus, infido cum illo quasi ad tempus inito foedere, omnes ei captivos reddidit. Nec multo post, repedantibus ipsis Saracenis, dirrupit pacem et ampliavit adversus Neapolim inimicitias. Mox autem Andreas consul Franciam direxit, deprecans domnum Lhotharium, ut saltem eius preceptione a tantis malis sopiretur Sichardus. Quapropter misit ille Contardum fidelem suum, ut, si nollet cessare persequi Parthenopensem populum, vesanum eius furorem ipse medicaretur. Hic autem Contardus cum Neapolim pervenisset, audiens Sichardum // (f. 118ᵛ) peremptum a suis concivibus, ad suum seniorem reverti voluit. Quem Andreas magister militum propter

---

[a]   mensium *Waitz.*

[310] G. Cassandro ritiene che Giovanni IV avesse parteggiato per il duca Bono. Cassandro, *Il ducato bizantino*, p. 56. Secondo V. Gleijess, Giovanni faceva parte della cerchia di Bono. Gleijess, *La storia di Napoli*, p. 134. P. Bertolini afferma che tra il duca e il vescovo c'erano state sicuramente delle connivenze. Bertolini, *La serie episcopale napoletana*, pp. 427-428. Più articolata è invece l'analisi di P. Cammarosano, che pone in evidenza che a un duca come Bono, salito al potere con la violenza, doveva fare «comodo un vescovo del tutto subalterno, estraneo a consorterie tradizionali di potere cittadino». Cammarosano, *Nobili e re*, p. 170. Su questa linea è anche A. Vuolo, il quale però pone l'accento sul fatto che Bono era convinto che i suoi piani non sarebbero stati ostacolati da un uomo «amante della vita ritirata e dello studio». Vuolo, *Giovanni Cimiliarca*, p. 13.

[311] Questa frase è usata in Sulpicius Severus, *Vita sancti Martini Turonensis*, c. 10.

[312] Bono fu probabilmente seppellito nella chiesa di s. Maria a Piazza in Forcella. La sua epigrafe fu poi trasferita in Santa Restituta. Secondo il suo epitaffio, il duca spirò il nove gennaio dell'834, dopo avere governato per un anno e mezzo. Russo Mailler, *Il ducato di Napoli*, p. 363; Cilento, *La cultura e gli inizi dello studio*, pp. 545-546; Russo Mailler, *Il senso medievale della morte*, pp. 102-104.

[313] Andrea fu duca di Napoli dall'834 all'839.

[314] Il particolare che a Tiberio non fosse stata restituita la carica di vescovo e che egli fosse stato tenuto sotto custodia pone in evidenza che continuarono a sussistere le tensioni che avevano portato al suo imprigionamento. Cassandro, *Il ducato bizantino*, p. 56.

[315] Sicardo resse il principato di Benevento dall'832 all'839.

[316] Questa fu la prima volta che nell'Italia meridionale, in uno scontro tra cristiani, si ricorse a truppe musulmane. In seguito diventò una prassi abituale. P. Bertolini ipotizza che i tentativi d'accordo tra Napoletani e musulmani fossero già stati avviati da Bono. Bertolini, *La serie episcopale napoletana*, p. 440.

Angustiato in ogni modo, Giovanni prese in considerazione i vari aspetti della vicenda, temendo da un lato la morte del presule e il giudizio divino per la rovina del vescovado e dall'altro la punizione papale e gli insulti della popolazione. Per rispetto della misericordia egli tuttavia preferì subire il danno umano rispetto a quello divino e disse al console: «Se, giurando, stabilirai che avrò il permesso di visitare il vescovo Tiberio e non lo farai andare via in alcun modo dall'episcopio e non arrecherai alcuna offesa al suo corpo, darò il mio consenso, anche se andrà a scapito della mia persona». Ricevuta subito la promessa, fu eletto[310]. Quanta bontà e quanta umanità dimostrò nei confronti del vescovo Tiberio non spetta a noi riferirlo[311].

[57.] Nel frattempo, trascorsi un anno e sei mesi, il console Bono morì[312]. Gli succedette suo figlio Leone. Sei mesi dopo, il suocero di quest'ultimo, Andrea, scacciò Leone e fu fatto console[313]. Su richiesta del vescovo, Andrea tolse il vescovo Tiberio dal suo luogo di miseria e di tenebre e lo pose sotto custodia in un edificio di fronte alla chiesa del santo martire Gennaro[314].

Il principe dei Beneventani Sicardo, figlio di Sicone[315], attaccò Andrea in innumerevoli occasioni. Adiratosi per questi attacchi, il duca Andrea inviò un ambasciatore e fece venire una fortissimo contingente di Saraceni[316]. Terrorizzato da loro, Sicardo fece subito un infido accordo con Andrea e gli restituì tutti i prigionieri[317]. Non molto tempo dopo, andati via i Saraceni, egli ruppe la pace e aumentò le azioni ostili contro Napoli.

Il console Andrea mandò immediatamente un ambasciatore in *Francia*[318] chiedendo a sua signoria Lotario[319] che, tramite un suo intervento, Sicardo fosse perlomeno calmato da così tanti mali[320]. Per tale ragione Lotario inviò un suo fedele, Contardo, affinché, se Sicardo non avesse voluto smettere di perseguitare il popolo partenopeo, curasse il suo folle furore[321]. Quando Contardo giunse a Napoli, venne a sapere che Sicardo era stato ucciso dai suoi concittadini[322] e quindi volle tornare dal proprio signore. A causa dell'incom-

---

[317] Il patto a cui si riferisce il cronista è probabilmente l'accordo di pace della durata di cinque anni che Sicardo stabilì con il duca Andrea. Martin, *Guerre, accords et frontières en Italie méridionale*, pp. 185-200. Secondo l'anonimo salernitano, Sicardo assalì i Napoletani, perché essi si erano rifiutati di pagargli il tributo che avevano promesso di consegnargli. Nel corso dell'assedio Sicardo avrebbe trafugato numerose reliquie appartenenti ai Partenopei. Pose poi fine alle ostilità su suggerimento del suo consigliere Roffredo. Recatosi a Napoli, questi si era fatto beffare dai Napoletani, che lo avevano persuaso di avere le case colme di grano. Per non indurre il Beneventano a investigare troppo, i Partenopei gli avevano inoltre donato una consistente somma di denaro. *Chronicon Salernitanum*, cc. 63-64.

[318] Ossia nella terra dei Franchi.

[319] In quel periodo Lotario, figlio di Ludovico il Pio, era coimperatore e re d'Italia.

[320] Come si sottolinea nella frase successiva, l'autore attribuisce malignamente il comportamento di Sicardo nei riguardi dei Napoletani a una malattia del principe di Benevento.

[321] In base al particolare che nella lettera dell'imperatore Ludovico II al sovrano bizantino Basilio si riporta che i Napoletani avevano versato tributi ai predecessori di Ludovico II (*Chronicon Salernitanum*, p. 119), si è ipotizzato che i Partenopei fossero diventati tributari dei Franchi in questo periodo. Di Muro, *Economia e mercato nel Mezzogiorno longobardo*, p. 86, nota 33.

[322] Secondo Erchemperto, Sicardo (832-839) fu ucciso da un suo suddito, perché aveva governato da tiranno. Erchemperti *Ystoriola Longobardorum Beneventum degentium*, c. 13. L'anonimo salernitano invece racconta che il principe di Benevento, descritto come un despota, era stato assassinato da un gruppo di Beneventani in seguito a un'offesa arrecata da sua moglie alla sposa di un Beneventano. *Chronicon Salernitanum*, c. 76.

ingruentem Langobardorum inimicitiam tenere curavit, promittens ei Eupraxiam, filiam suam, dare in matrimonium, quę uxor fuerat prędicti Leonis, filii Boni ducis. Qua sponsione accepta, consistens, repedare contempsit. Sed ubi cognovit idem Contardus huiusmodi copulam illudendo protelari, coniuravit cum inimicis Andreę consulis et eum in loco basilicę sancti Laurentii, qui Ad Fontes dicitur, gladio percussit et consulato suscepto, eandem duxit Eupraxiam. Neapolitani siquidem commoti de morte turpissima sui ducis, post tres dies unanimes irruunt episcopium, quo ipse manebat, et confecto feroci bello, Contardum suamque coniugem // (f. 119ʳ) et homines eius trucidarunt.

Ac deinde inito consilio Sergium, filium Marini et Eupraxię, libenti animo ducem statuentes, beredarios Cumas pręmiserunt, qui eum festinarent consulem fieri proficuum. Nam diluculo ipsius diei quo peremptus est Andreas dux, direxerat eum legatum ad Sichenolfum Salernitanum principem, obsidentem tunc Beneventum. Enim vero in ipsis diebus divisus est principatus Langobardorum. Qui cum reverteretur in Suessulano territorio, audivit occisum Contardum. Ut autem exinde veritatem resciret, perrexit ad Cumanum castellum. Hinc ergo, vocato illo, magistrum militum pręfecerunt.

[58.] His ita peractis, Tiberio episcopo in prędicta custodia posito, appropinquavit ultima dies. Qui pridie quam moreretur, residens in pontificali // (f. 119ᵛ) cathedra, de domno Iohanne electo talem sermonem fecit ad populum: «Scitis, fratres karissimi, quia peccatorum mole depressus, iusto iudicio hominibus absque misericordia traditus sum. Sed Dominus, qui deducit ad inferos tribulationis et reducit, quique cum temptatione proventum faciet ad sustinendum, permisit presentem filium meum domnum Iohannem nostram ingredere sedem, quatenus haberem maxime tribulationis solacium.

Ideoque nolumus vestram latere caritatem, quia de tanta, quam erga me impendit, humanitate, etiamsi omnibus membris loquerer, nullatenus illi gratias referre valueram. Tamen quia magis misericordia meę consolationis quam presumptione motus, vivo me, episcopatum assumpsit, nulla immineat illi nec // (f. 120ʳ) a Romana sede necᵃ ab aliis

---

ᵃ   vel *Waitz.*

[323] Si è ipotizzato che questa decisione di Andrea fosse stata dovuta al fatto che si sentiva insicuro a causa della spregiudicatezza con cui aveva acquisito il potere. Cassandro, *Il ducato bizantino*, p. 65.

[324] L'uccisione anche della figlia del duca Andrea ha indotto a supporre che ella fosse stata d'accordo con Contardo. Cassandro, *Il ducato bizantino*, pp. 65-66. Ovviamente è anche possibile che Euprassia fosse stata costretta con la forza a sposare Contardo.

[325] Il fatto che la madre di Sergio sia da identificare nella figlia del duca di Napoli, Andrea, è ritenuto improbabile. Mallardo, *Giovanni Diacono napoletano. La continuazione del «Liber Pontificalis»*, pp. 349-350.

[326] Scomparso Sicardo, fu eletto principe di Benevento Radelchi. Alcuni dissidenti però scelsero come principe Siconolfo, fratello di Sicardo, che si stabilì a Salerno. La guerra che ne seguì durò fino all'849, data in cui il principato di Benevento fu diviso in due parti; a una rimase il nome di principato di Benevento, mentre l'altra assunse quello di principato di Salerno. Delogu, *Il principato di Salerno*, pp. 244 sgg.; Gasparri, *Il ducato e il principato di Benevento*, pp. 118 sgg.; Kreutz, *Before the Normans*, pp. 32 sgg.

[327] Suessula non esiste più; si trovava nei pressi di Acerra. Per un approfondimento sulla decadenza di questo centro abitato durante l'alto Medioevo, vedi Camardo – Rossi, *Suessula: trasformazione e fine di una città*, pp. 167-192. Essa è menzionata anche da *Cronicae Sancti Benedicti Casinensis*, I, 9 e da Erchemperti *Ystoriola Longobardorum Beneventum degentium*, cc. 23, 28, 30, 35, 44, 48, 56, 72.

bente ostilità dei Longobardi, il comandante delle milizie Andrea cercò di farlo rimanere promettendogli di dargli in moglie sua figlia Euprassia, che era stata moglie di Leone, figlio del duca Bono[323]. Contardo accettò il matrimonio e perciò decise di rimanere e di non tornare a casa sua. Contardo scoprì però che Andrea cercava di differire quell'unione con false promesse. Egli quindi congiurò con i nemici del console Andrea, lo uccise con la spada nel luogo della basilica di san Lorenzo, che è detto "Alle Fonti", s'impossessò del consolato e sposò Euprassia. I Napoletani tuttavia, sconvolti dalla turpissima morte del loro duca, tre giorni dopo, tutti insieme assalirono l'episcopio nel quale Contardo si era stabilito e, ingaggiato un feroce scontro, uccisero Contardo, sua moglie e i suoi uomini[324].

Essi quindi indissero una riunione e decisero con animo lieto di eleggere duca Sergio, figlio di Marino ed Euprassia[325]. Mandarono a Cuma alcuni messaggeri affinché si affrettassero a fare di lui un utile console. Nello stesso giorno, in cui il duca Andrea era stato ucciso, lo avevano infatti inviato in qualità di ambasciatore al principe di Salerno, Siconolfo, che stava in quel momento assediando Benevento. In quei giorni fu infatti diviso il principato dei Longobardi[326]. Mentre egli stava tornando nel territorio di Suessula[327], Sergio seppe che Contardo era stato ucciso. Appena conobbe la verità, si recò al castello di Cuma. Chiamato quindi da quel luogo, i Napoletani lo posero al loro comando con la carica di comandante delle milizie[328].

[58.] Avvenute queste cose, mentre il vescovo Tiberio si trovava nella suddetta prigione, si avvicinò il suo ultimo giorno[329]. Il giorno prima di morire, andò sulla cattedra pontificale e fece questo discorso a proposito del vescovo, sua signoria Giovanni: «Sappiate fratelli carissimi che, poiché ero oppresso da un gran numero di peccati[330], per giusto giudizio sono stato senza misericordia consegnato agli uomini. Ma il Signore, che ti porta agli inferi della tribolazione e poi ti porta indietro[331], con la tentazione fornì anche una via di salvezza affinché si potesse affrontare la tentazione[332] e quindi permise che il qui presente figlio mio, sua signoria Giovanni, prendesse la nostra sede, affinché potessi avere sollievo dalla mia grandissima pena.

Per tale motivo non vogliamo che la vostra carità rimanga nascosta, poiché, anche se ne parlassi con tutte le membra, non riuscirò in alcun modo a ringraziarlo per la così grande bontà, che ha dimostrato nei miei riguardi. Poiché, spinto più dal misericordioso desiderio di consolarmi che dalla presunzione, egli ha accettato il vescovato, mentre ero ancora in vita, desidero che non gli sia comminata alcuna condanna né dalla sede romana, né da

---

[328] Sergio fu duca di Napoli dall'839/840 all'864. Egli diede il via a una dinastia che governò Napoli per circa tre secoli, ossia fino alla caduta della città ad opera dei Normanni.

[329] Tiberio morì alla fine del marzo dell'839. Bertolini, *La serie episcopale napoletana*, p. 420.

[330] Espressione utilizzata in *Epistulae ad Fulgentium Ruspensem (exceptis epist. Ferrandi Carthaginensis)*, n. 9, c. 3. Una frase simile è impiegata in Sulpicius Severus, *Epistulae*, n. 2, par. 17.

[331] Primo Libro di Samuele, 2.6: «Dominus mortificat et vivificat deducit ad infernum et reducit»; Augustinus Hipponensis, *De civitate Dei*, XVII, 4: «dominus mortificat et vivificat, deducit ad inferos et reducit».

[332] Riferimento alla prima lettera ai Corinzi, 10.13: «sed faciet etiam cum tentatione proventum ut possit sustinere (ma insieme alla tentazione vi darà anche il modo di poterla fronteggiare)».

hominibus condemnatio. Huius etenim professionis, quam sponte pro illo feci, coram Deo et omnibus potestatibus veritatis testes vos habere decrevimus». Hoc autem dicto, surrexit de solio, pręcipiens se ad lectulum portari, ubi per duos dies Dominum laudans veniamque piaculorum implorans, migravit e seculo. Cuius corpus cum veneratione domnus Iohannes in ecclesia sancti Ianuarii sepelivit, indictione [...]ᵃ, anno impe [...]ᵇ

[59.] Sergius item consul, animatus ex professione, quam Tiberius episcopus fecit, apocrisarios suos Romam destinans, obnixius Iohannem electum inthronizari postulavit. Sed domnus Gregorius papa Romuleus tam diu huiusmodi petitionem distulit, // (f. 120ᵛ) quoadusque missa legatione canonice investigaret, ne pontificalem subriperet sedem. At ubi clericorum et laicorum simulque ipsius ducis iurisiurandiᶜ satisfactionem accepit, quod nec sedem voluntarie invasisset, nec aliquid contra Tiberium, sed pro Tiberio egisset, et, ut ipse confessus est coram omnibus, multa ei bona periclitanti impendere studuisset, ilico accersitum pontificaliᵈ infula decoravit.

Pro! Factus episcopus quantum et qualem se exhibebat, nulla carnis lingua poterit enarrare. Nam omnia fiebat omnibus, ut omnes lucrifaceret. Senes reverebatur ut patres, iuvenes diligebat ut fratres; nulli umquam malum pro malo reddebat, neminem nisi pro suis criminibus increpabat. Quem merentem non con//(f. 121ʳ)solatus est? Cum quo infirmante non infirmatus est? Sic pręerat cunctis, ut ipse magis videretur subiectus. Hic, hic fuit secundum apostolum pontifex, ut etiam testimonium foris haberet. Non enim nisi pius, nisi iustus, nisi sanctus per omnia videbatur.

Quorsum ista? Num quidnam tanti sumus ingenii, ut laudes eius exprimere valeamus? Exciditne, nos professos esse, parumper posse de eo effari? Quid ergo? Accingamur ad alia; hęc, quia sunt eminentissima, relinquamus.

Ad sanctum igitur chrisma conficiendum fecit unam deauratam ampullam, in cuius labiis nomen suum descripsit. Acquisivit autem et duo thimiamateria ex auro fabrefacti operis similique labore auream operatus est crucem. Codices vero // (f. 121ᵛ) manu propria utiles et plures descripsit. Corpora quoque suorum predecessorum de sepulcris, in quibus iacuerunt, levavit et in ecclesia Stephania singillatim collocans, aptavit unicuique arcuatum tumulum ac desuper eorum effigies depinxit.

ᵃ *Spazio lasciato in bianco.* ᵇ *Spazio lasciato in bianco.* ᶜ *C aggiunge* ri *in interlinea a* iusiurandi. ᵈ *C aggiunge* li *in interlinea a* pontifica.

---

³³³ Gregorio IV (827-844).

³³⁴ P. Bertolini ritiene che Giovanni IV fosse stato consacrato vescovo dal papa il 26 febbraio dell'842, quindi quasi tre anni dopo la morte di Tiberio. Bertolini, *La serie episcopale napoletana*, p. 425.

³³⁵ L'espressione "lingua di carne" è usata in varie opere di sant'Agostino, Gregorio Magno e Ambrogio Autperto, ma una frase molto simile a quella impiegata da Giovanni Diacono si trova nell'opera di un autore probabilmente vissuto alla fine del nono secolo. Christianus Stabulensis, *Expositio super Librum generationis (Expositio in euangelium Matthaei)*, c. 25: «Nulla autem lingua potest enarrare».

³³⁶ Lettera ai Romani 12.17.

³³⁷ Riferimento alla Seconda lettera ai Corinzi 11.29: «quis infirmatur et non infirmor?»

³³⁸ Il trasferimento dei corpi dei vescovi è stato attribuito al desiderio di porre al sicuro le reliquie situate al di fuori delle mura cittadine e di rafforzare il prestigio dei prelati partenopei e della chiesa cattedrale. Cfr. Cilento,

altre persone. Di fronte a Dio e a tutte le autorità dichiariamo di avere voi come testimoni della veridicità di questa dichiarazione che ho fatto spontaneamente in suo favore».

Come disse questo, si alzò dal soglio e chiese di essere portato su un lettino, dove per due giorni lodò il Signore e implorò il suo perdono per i suoi peccati, quindi migrò da questo mondo. Sua signoria Giovanni seppellì il suo corpo con venerazione nella chiesa di san Gennaro nella... indizione e nel... anno dell'imperatore...

[59.] Sollecitato dal discorso che il vescovo Tiberio aveva fatto, il console Sergio inviò suoi ambasciatori a Roma e chiese con insistenza che il vescovo Giovanni fosse intronizzato. Sua signoria il papa romano Gregorio[333] tuttavia rinviò a lungo la decisione su tale richiesta; infine mandò suoi rappresentanti per determinare in base ai canoni che Giovanni non avesse sottratto la sede pontificale. Tale commissione ricevette il giuramento sia dei chierici che dei laici e dello stesso duca che Giovanni non aveva volontariamente invaso la sede episcopale e che non aveva compiuto nulla contro Tiberio, ma, anzi, aveva agito in favore di Tiberio e, come lui stesso aveva confessato di fronte a tutti, che egli si era molto adoperato per fargli del bene, mentre Tiberio era in pericolo. Fattolo chiamare, la commissione insignì immediatamente Giovanni della fascia pontificale[334].

Oh, come fu fatto vescovo, quante e quali cose fece, nessuna lingua di carne potrebbe raccontarle[335]. Dava infatti tutto a tutti, affinché tutti ne beneficiassero. Riveriva i vecchi come padri e amava i giovani come fratelli. A nessuno rese mai il male ricevuto[336]; non redarguiva nessuno eccetto nel caso in cui qualcuno avesse compiuto dei crimini. Chi, essendone degno, non fu da lui consolato? Chi, essendo ammalato, non fu da lui soccorso?[337] Fu a capo di tutti in questo modo al punto che sembrava che egli fosse più un suddito che un capo. Egli si comportò da pontefice secondo quanto indicato dall'apostolo al punto da essere menzionato anche al di fuori di Napoli. In ogni cosa che fece non risultò se non come pio, giusto e santo.

A che cosa mirano queste parole? Abbiamo forse noi tanto ingegno da potere pronunciare le sue lodi? Non è forse venuta meno - lo riconosciamo apertamente – la possibilità di parlare di lui in poco tempo? Che fare dunque? Passiamo ad altre cose. Lasciamo queste poiché sono eminentissime.

Per raccogliere il sacro crisma egli fece fare un'ampolla d'oro sui cui bordi fece scrivere il proprio nome. Acquistò due incensieri lavorati in oro e fece fabbricare una croce d'oro fatta nella stessa maniera. Scrisse con la sua mano numerosi e utili manoscritti. Tolse anche i corpi dei suoi predecessori dai sepolcri nei quali giacevano, li pose uno dopo l'altro nella chiesa Stefania[338] e predispose per ciascuno di essi una tomba con arcosolio e sopra di esse fece dipingere la loro effigie[339].

La Chiesa di Napoli, p. 685; Cilento, Il significato della «translatio» dei corpi dei vescovi napoletani, pp. 3-4; Granier, Lieux de mémoire – lieux de culte à Naples, pp. 86 sgg.; Lucherini, La cattedrale di Napoli, p. 135.

[339] L'arcosolio è una struttura architettonica di solito costituita da un sarcofago sormontato da un arco. Lo spazio sottostante l'arco era decorato con pitture, spesso raffiguranti il defunto. Basandosi sul particolare che questo tipo di sepoltura non fosse utilizzata a Roma in questo periodo, Vinni Lucherini dubita che Giovanni Diacono si riferisse a delle tombe ad arcosolio e ritiene che la sua descrizione corrisponda «a delle semplici tombe terragne, forse con un'estremità tagliata a semicerchio, sulle quali era stata scolpita e poi dipinta l'effigie del defunto». Lucherini, La cattedrale di Napoli, p. 72, nota 30.

[60.] In eodem denique tempore Theophilo mortuo filioque eius Michahelio imperante, multorum naves Saracenorum latrocinari per Italiam cupientium Pontias devenerunt. Tunc Sergius consularis una cum Amalphitanis Caietanisque ac Surrentinis, non in multitudine populorum, sed in misericordia Domini et huius episcopi precibus confisus, bellum cum eis est aggressus. Quibus devictis, Domino protegente, celeriter triumphavit. Perinde vero illorum Hismahelitum victoriam // (f. 122^r) adeptus est, qui Licosę latitabant. Propterea magnus exercitus Panormitanorum adveniens, castellum Misenatium comprehendit. Ac deinde[a] Africani in forti brachio omnem hanc regionem divastare cupientes, Romam supervenerunt atque, iaculato de cęlo iudicio, ecclesias apostolorum et cuncta quę extrinsecus repererunt lugenda pernicie et horribili captivitate diripuerunt.

Idcirco motus Lhotharius rex Francorum ferocem contra eos populum misit. Qui celeriter properantes, eos usque Caietam sunt persecuti. Hic autem Saraceni solitam molientes stropham, in locis angustis et arduo calle nonnullos audaciores absconderunt. Franci vero ignorantes calliditatem eorum, // (f. 122^v) conabantur viriliter super eos descendere. At illi de latibulo exilientes, irato Deo, primum ipsorum percutierunt signiferum, quo perempto, cunctis terga vertentibus, validissime occidebantur. Et nisi Cesarius, filius Sergii ducis, qui cum navigiis Neapolitanorum et Amalfitanorum venerat, litoreum conflictum cum eis coepisset, nullatenus a persequendo recedebant.

Lętantes igitur utpote paganissimi de tanto triumpho, Caietanam urbem capere minabantur. Sed Cesarius, pręeducti Sergii filius, hoc animadverso, cum ratibus suis et Amalphitanorum in portum eiusdem civitatis magis custos quam propugnator devertens, Domini protectione illis obsistebat. Interea Salvatoris omnipotentia, quę humiliat se ipsos exal//(f. 123^r)tantes suisque in viribus gloriantes, tempestivam excitavit procellam in puppes tantę supervię naufragium comminantem.

Unde perterriti, a Cesario sibi dari pactionem petierunt, quatenus naves ad terram subducerent acceptaque serenitate ad sua repedarent. Hoc e vestigio nuntiato[b] Sergio duci, iussit illud sub iureiurando fieri, pavens, ne navibus allisis terram caperent. Quo peracto et serenitate reddita, ire coeperunt; sed pelagi vastitatem sulcantibus excitavit Dominus austrum, quo dispersi atque demersi[c], paucissimi ex eis ad sedes remearunt suas.

---

[a]   inde *Waitz*. [b] *C aggiunge* a *a* nuntito. [c] *C corregge* dimersi *in* demersi. dimersi *Waitz*.

---

[340] Teofilo (829-842).

[341] Michele III (842-867).

[342] Si ipotizza che questo raid fosse avvenuto verso l'845/846. Cassandro, *Il ducato bizantino*, p. 70.

[343] L'espressione «in multitudine populorum» è usata in Ezechiele 32.3.

[344] Non è ben chiaro se il cronista si riferisca a Punta Licosa o all'isola di Licosa. Questa zona rappresenta l'estremità meridionale del golfo di Salerno.

[345] Miseno si trova nella parte settentrionale del golfo di Napoli. Si suppone che questa incursione abbia avuto luogo verso l'846. Amari, *Storia dei Musulmani di Sicilia*, I, p. 505; Cassandro, *Il ducato bizantino*, p. 70.

[346] Una frase simile («de caelo iaculatus es iudicium») è utilizzata in Ambrosius Mediolanensis, *Explanatio psalmorum xii*, psalmus 43, c. 22, e Augustinus Hipponensis, *Enarrationes in Psalmos*, psalmus 75, par. 12.

[347] Il raid dei musulmani contro Roma avvenne nell'agosto dell'846. Essi riuscirono a saccheggiare soltanto le zone al di fuori della cinta muraria, tra le quali c'erano le chiese di san Pietro e di san Paolo. Questo episodio è riferito in numerose fonti tra le quali segnalo *Liber pontificalis*, II, p. 100, *Cronicae Sancti Benedicti Casinensis*, II, 3, Benedicti S. Andreae *Chronicon*, pp. 149 sgg. e Giovanni Diacono, *Istoria Veneticorum*, II, 51.

[60.] Nel periodo in cui, morto Teofilo[340], suo figlio Michele[341] governava l'impero, molte navi saracene si recarono in Italia con l'intenzione di saccheggiare e cercarono di assalire Ponza[342]. Insieme agli Amalfitani, i Gaetani e i Sorrentini il console Sergio allora li attaccò, non facendo affidamento sul gran numero di genti[343] che erano con lui, ma sulla misericordia del Signore e sulle preghiere del vescovo Giovanni. Con la protezione del Signore li sconfisse e trionfò in poco tempo. Nello stesso modo ottenne anche la vittoria sugli Ismaeliti, che si erano nascosti a Licosa[344]. Per questo motivo venne un grande esercito di Palermitani e prese il castello di Miseno[345]. Un gran numero di Africani decise quindi di devastare questa regione, si recò a Roma e, abbattutosi dal cielo il giudizio divino[346], distrusse le chiese degli apostoli e ogni cosa che era all'esterno della città, arrecando una tremenda devastazione e un'orribile schiavitù[347].

Per tale motivo si mosse il re dei Franchi Lotario[348] e mandò contro di loro il suo bellicoso popolo. I Franchi arrivarono velocemente e inseguirono i Saraceni fino a Gaeta. Qui, ponendo in atto il loro solito trucco, i Saraceni nascosero in luoghi angusti e su un sentiero ripido alcuni tra i più coraggiosi dei loro uomini. I Franchi, ignorando la loro astuzia, cercarono di assalirli con grande energia. Ma quelli uscirono dal proprio nascondiglio e, poiché Dio era irato, colpirono per primo il portainsegne dei Franchi; come questi morì, tutti voltarono la schiena e furono uccisi in gran numero. E, se non fosse stato per il figlio del duca Sergio, Cesario[349], che era giunto con alcune navi dei Napoletani e degli Amalfitani, e se egli non avesse cominciato a combattere con i Saraceni sulla costa, essi non avrebbero mai rinunciato ad inseguire i Franchi.

Quei paganissimi Saraceni tuttavia si rallegrarono per un così grande trionfo e cercarono di prendere la città di Gaeta. Il figlio di Sergio, Cesario, però si recò nel porto di quella città con le sue navi e quelle degli Amalfitani e con l'aiuto di Dio si oppose a loro rimanendo là più come un custode che come un combattente. Nel frattempo, grazie all'onnipotenza del Salvatore che umilia quelli che glorificano se stessi[350], il Signore provocò un'improvvisa tempesta contro le poppe di una così grande superbia minacciando di provocare il loro naufragio.

Terrorizzati, essi quindi chiesero a Cesario di fare un accordo per portare a terra le navi e, una volta giunto il sereno, potere tornare a casa. Riferita subito questa cosa al duca Sergio, questi ordinò che questo fosse fatto sotto giuramento, affinché non sbarcassero dalle navi infrante. Fatto ciò e tornato il sereno, essi partirono, ma, mentre solcavano il vasto mare, il Signore fece aumentare il vento[351] a causa del quale pochissimi di loro, in parte perché dispersi, in parte perché annegati, tornarono alle loro sedi[352].

[348] In questo periodo Lotario, figlio di Ludovico il Pio, aveva il titolo di imperatore.

[349] Cesario era il secondogenito del duca partenopeo. Gli altri figli maschi di Sergio di cui si conoscono i nomi sono: Gregorio, che diventò duca di Napoli, Atanasio, vescovo di Napoli dall'849 all'872, e Stefano, vescovo di Sorrento. Schipa, *Il Mezzogiorno d'Italia anteriormente alla monarchia*, p. 73; Bertolini, *Cesario*, p. 205; *Vita s. Athanasii*, p. 121, nota 22.

[350] Cfr. Luca 14.11: «quia omnis qui se exaltat humiliabitur» e Matteo 23.12: «qui autem se exaltaverit humiliabitur».

[351] Cfr. *Psalterium Romanum (dubium an sit prima retractatio ueteris uersionis ab Hieronymo facta)*, Ps. 77.26: «et excitauit Austrum de caelo».

[352] Il naufragio subito dalla flotta musulmana avvenne probabilmente agli inizi dell'847. Esso è riportato anche da *Liber pontificalis*, II, p. 107; *Dialogi de miraculis sancti Benedicti auctore Desiderio abbate*

[61.] Eodem quoque anno supplicatione huius Sergii principumque Langobardorum direxit Lhotharius imperator filium suum Lhodoguicum, bonę adolescentię iuvenem, propter catervas // (f. 123^v) Saracenorum Apulię sub rege commanentes et omnium^a fines depopulantes. Qui adveniens, cęlesti comitatus auxilio, ex illis Hismahelitis triumphavit. Et sagaciter ordinans divisionem Beneventani et Salernitani principum, victor reversus est.

[62.] Decurrentibus istis, ut pręlibavimus, domnus Iohannes episcopus, vir totius sanctitatis, sensit sibi diem adesse solutionis, quo sui nominis gratiam susciperet. Gaudebat enim, quod brevi temporis spatio dissolutus finem daret suo certamini et multo melius esset cum Christo imperpetuum.

Septem quoque dierum vi infirmitatis detentus, sedulus in oratione excubans, gratias referebat Domino. Quibus transactis, requievit in pace. Luxit plane populus cunctus tanto orbatus pastore, sed exultavit chorus angelorum, quod muni//(f. 124^r)cipem suum in cęlis suscepit. Insignes eius exequias uterque sexus et ętas usque ad basilicam sancti Ianuarii deducentes, officialiter collocarunt, indictione decima, anno imperatorum [...]^b

[63.] Athanasius episcopus sedit annos viginti II, menses VI, dies viginti quattuor. Hic autem ab ipso pueritię suę tempore usque ad diaconatus honorem, patre suo Sergio duce, sub tutoribus et auctoribus mansit, quatenus, negotii sęcularis ignarus, omni institutione catholica imbueretur. Qualis enim quantusque effulserit, si homines silent, ipsi etiam lapides clamabunt. Infra vicesimum ętatis suę annum lęvitali honore suffultus, quasi iam episcopus venerabatur. Dominus enim, qui previdebat ecclesię suę

---

^{a} omnes Capasso. ^{b} C lascia dello spazio bianco.

Casinensis, I, 2; *Chronica Monasterii Casinensis*, pp. 80-81. A differenza di queste fonti e dei *Gesta episcoporum Neapolitanorum*, le *Cronicae Sancti Benedicti Casinensis* e gli annali di Saint Bertin riferiscono che nessun musulmano sopravvisse. Quest'ultima fonte inoltre riferisce che, dopo la tempesta, i tesori rubati in S. Pietro furono ritrovati sulla costa e poi ricollocati nel loro posto originale. *Les Annales de Saint Bertin*, a. 847; *Cronicae Sancti Benedicti Casinensis*, II, 6. L'annegamento dei musulmani è riportato anche dalla trecentesca *Cronaca di Partenope*, il primo testo storico scritto in napoletano. *The «Cronaca di Partenope*, c. 54, p. 242.

[353] Il cronista si riferisce all'emiro di Bari. Probabilmente nell'847 la città pugliese era stata occupata da alcuni mercernari musulmani al servizio del principe di Benevento. Musca, *L'emirato di Bari*.

[354] Giovanni Diacono è l'unico cronista a raccontare che anche il duca Sergio fu tra coloro che sollecitarono l'intervento dei Franchi. Il ruolo non secondario di Sergio in questa vicenda pare essere confermato dal fatto che nel capitolare di Lotario in cui il sovrano franco descrive l'organizzazione della spedizione contro i musulmani si riporti che il duca di Napoli doveva promuovere la pace tra i Longobardi e prestare aiuto a Ludovico II. *Capitularia regum Francorum*, II, n. 203, c. 12. Questo testo con traduzione italiana a fronte si può leggere anche in *I capitolari italici*, pp. 154-155.

[355] Si tratta di Ludovico II, re d'Italia dall'844, coimperatore dall'855 e imperatore dall'855 all'875.

[356] In realtà Ludovico II intervenne soltanto contro i mercenari musulmani di Radelchi, che si erano impadroniti di Benevento. Si ritiene che tale avvenimento abbia avuto luogo tra l'848 e l'849. *Cronicae Sancti Benedicti Casinensis*, II, 14; Erchemperti *Ystoriola Longobardorum Beneventum degentium*, c. 19; *Les Annales de Saint Bertin*, a. 848; Ado Viennensis, *Chronicon*, a. 850; Giovanni Diacono, *Istoria Veneticorum*, II, 52. Cfr Musca, *L'emirato di Bari*, pp. 38-39.

[357] Come si è già sottolineato, la divisione del principato di Benevento in due parti, promossa nell'849 da Ludovico II, pose fine alla guerra tra i due pretendenti al titolo di principe, Radelchi e Siconolfo. Essa era durata dieci anni. Cfr. Delogu, *Il principato di Salerno*, pp. 244 sgg.; Gasparri, *Il ducato e il principato di Benevento*, pp. 118 sgg.; Kreutz, *Before the Normans*, pp. 32 sgg. Il testo che sancì la divisione si trova in Martin, *Guerre, accords et frontières en Italie méridionale*, pp. 211-217.

[61.] In quello stesso anno, a causa del gran numero di Saraceni, che erano agli ordini del re della Puglia[353] e che stavano saccheggiando ogni territorio, su supplica di Sergio e dei principi dei Longobardi[354], l'imperatore Lotario inviò suo figlio Ludovico, un giovane di buona indole[355]. Questi venne e, con l'aiuto divino, trionfò su quegli Ismaeliti[356]. E, dopo avere saggiamente ordinato la divisione dei principati di Benevento e di Salerno[357], tornò in patria da vincitore[358].

[62.] Mentre avvenivano queste cose, nel modo in cui abbiamo menzionato sopra, sua signoria il vescovo Giovanni, uomo di grande santità[359], sentì che si avvicinava il giorno della propria fine nel quale avrebbe ricevuto la grazia del suo nome. Era felice, poiché nel giro di poco tempo avrebbe posto fine alla sua battaglia e sarebbe stato per sempre molto meglio presso Cristo[360].

Duramente affetto dalla malattia per sette giorni, ringraziò il Signore, pregando molto. Trascorsi i sette giorni riposò in pace. Tutto il popolo pianse molto, perché era stato privato di un così grande pastore, ma il coro degli angeli esultò[361], poiché l'avevano accolto come loro compagno in cielo. Persone di entrambi i sessi e di tutte le età portarono le sue insigni spoglie fino alla basilica di san Gennaro, dove lo posero ufficialmente nella decima indizione, nell'anno degli imperatori...[362]

[63.] Il vescovo Atanasio sedette sul trono vescovile per ventidue anni, 6 mesi e ventiquattro giorni[363].

Poiché suo padre era il duca Sergio, dalla sua infanzia[364] fino a quando ricevette la carica di levita[365], egli rimase sotto la guida di tutori e di maestri, affinché rimanesse ignaro di ogni cosa secolare e fosse imbevuto di tutta la dottrina cattolica. Quanto e in quale modo risplendette, se gli uomini taceranno, le pietre stesse si metteranno a gridare[366].

Ricevette la carica di levita prima di avere vent'anni ed era già venerato come se fosse già vescovo[367]. Il Signore infatti, che prevedeva che sarebbe diventato un grande pastore

---

[358] Stranamente Giovanni Diacono non riporta nulla sulla vittoria ottenuta presso Ostia verso l'849 da Cesario contro i musulmani. Essa è invece ricordata nella biografia di papa Leone IV. *Liber pontificalis*, II, pp. 117-119. Cfr. Schipa, *Il Mezzogiorno d'Italia anteriormente alla monarchia*, pp. 72-73; Bertolini, *Cesario*, pp. 207-208.

[359] Questa espressione è utilizzata da Beda Uenerabilis, *Historia ecclesiastica gentis Anglorum*, I, 21, Gregorius Turonensis, *Liber in gloria confessorum*, c. 60, e Gregorius Turonensis, *Historiarum libri X*, IV, 36.

[360] Cfr. Baltherus, *Vita Fridolini confessoris Seckingensis*, c. 29: «imperpetuum cum Christo victurus in celis», e Lettera ai Filippesi 1.23: «cum Christo esse multo magis melius».

[361] Cfr. Gregorius Turonensis, *Liber de virtutibus S. Martini*, I, 5: «O beatum virum, in cuius transitu sanctorum canit numerus, angelorum exultat chorus».

[362] Successivamente a Giovanni IV fu attribuita fama di santità. Nel tredicesimo secolo, negli ambienti episcopali partenopei, fu scritta una vita su questo vescovo, che si basa su quanto riferito da Giovanni Diacono. Vuolo, *Giovanni Cimiliarca*, pp. 1-20.

[363] Atanasio fu vescovo di Napoli dall'849 all'872.

[364] Questa espressione è usata in Gregorius Magnus, *Dialogorum libri iv*, II, prologus: «ab ipso pueritiae suae tempore».

[365] Ossia diacono.

[366] Luca 19.40.

[367] Le doti intellettuali e umane del giovane Atanasio sono poste in evidenza anche nella sua biografia. *Vita s. Athanasii*, c. 3, pp. 123-124.

tantum pastorem, quodammodo // (f. 124ᵛ) de illo suę clementię signum pręcordiis humanis indiderat, antistitem eis designans futurum. Ille, inquam, ille tanto mellifluus nectare sic omnes dulcabat, ut domnus Iohannes episcopus paterno affectu in tantum eum diligeret, quod de eo sine filii vocabulo numquam os aperiret. Populus cunctus <amabat eum atque>ᵃ, sine Domini assertione, mirum in modum certatim a singulis laudabatur et, quod ante secula Omnipotens predestinarat, celebs iam et sanctus auspiciebatur. Profecto igitur domno Iohanne ad cęlestem patriam, huius electionem e vestigio cunctus acclamavitᵇ populus. Qui mox sublimatus, in paucis diebus Romam properavit. Ubi honorifice susceptus honorificentiusque consecratus, cum magna gloria Neapolim repedavit. Inthronizatus ergo, ubertatem doctrinę, quam // (f. 125ʳ) in pueritia suxerat, coepit affluenter impertiri. Ordinavit autem lectorum et cantorum scolas. Nonnullos instituit gramatica inbuendos, alios colligavit ad scribendi officium, ut sic pastor providus caulas sui gregis muniret, quatenus nullius indigens, Domino suam pręsentaret speculationem atque verissime audiret: "Floret sanctam eclesiamᶜ in diebus tuis redempta sanguine Christi".

Pręterea ecclesiam sancti Ianuarii in ipso cubiculo positam renovavit nobiliumque doctorum effigies in ea depinxit, faciens ibi marmoreum altare cum regiolis argenteis. Supra quod velamen cooperuit, in quo martyrium sancti Ianuarii eiusque sociorum acu pictili opere digessit. Eodem enim opere in ecclesia Stephania tredecim pannos fecit, evangelicam // (f. 125ᵛ) in eis depingens historiam; quos iussit de columnarum capitibus ad ornamentum pendere. Et in altare eiusdem ecclesię huius operis quattuor velamina optulit, multo auro multisque gemmis decorata. Plurimos enim pannos facere studuit, quos in ecclesiarum ornamentis maluit offerre. Ex argento igitur non pauca vasa in ipsa fecit ecclesia. Nam ad magnas brevesque fabricandas coronas et alia sacra vascula quadraginta octo libras argenti appendit. Ex eodem itaque metallo fecit magnam patenam, scalpens in ea vultum Salvatoris et angelorum, quam intrinsecus ex auro perfudit. Item paravit duas conchas argenteas appendentes libras viginti, ex quibus // (f. 126ʳ) una nomen Sergii exaratum habebat. Fecit et comiticlos, quibus cantores per festivitates uterentur. In ipso vero episcopio ad cotidiana ministeria in cocleariisᵈ catinisque fere centum libras contulit argenti.

Ordinavit etiam, ut in ecclesia Salvatoris omnni die missa puplica cum dipticis celebretur, offerens ibidem terras, ex quibus eiusmodi aleretur collegium. Deinde

---

ᵃ *Così Muratori.* ᵇ *C aggiunge* ma *in interlinea ad* acclavit. ᶜ sancta ecclesia *Waitz Capasso.* ᵈ *Così Waitz.* clocleariis *C.*

³⁶⁸ La predilezione del vescovo Giovanni IV per Atanasio è sottolineata pure in *Vita s. Athanasii*, c. 3, p. 123. L'educazione impartita ad Atanasio e i buoni rapporti instaurati tra questi e il vescovo Giovanni IV inducono a ipotizzare che il duca Sergio avesse da lungo tempo progettato l'elezione di suo figlio a presule di Napoli. Bertolini, *La serie episcopale napoletana*, pp. 428-429.

³⁶⁹ Una frase simile compare in Gregorius Magnus, *Moralia in Iob*, XIII, 6: «ad caelestem patriam proficit».

³⁷⁰ L'immediata elezione di Atanasio è evidenziata anche nella *Vita s. Athanasii*, c. 3, p. 124. Si è supposto che essa fosse avvenuta il 22 dicembre dell'849 e che Giovanni IV fosse morto il 17 dicembre. Bertolini, *La serie episcopale napoletana*, pp. 421-425.

³⁷¹ Secondo il biografo di s. Atanasio, egli fu consacrato alle idi di marzo sull'altare di San Gregorio. *Vita s. Athanasii*, c. 3, p. 125. La data esatta sarebbe il 15 marzo dell'850. Bertolini, *La serie episcopale napoletana*, p. 420.

della sua Chiesa, introdusse nei cuori umani un segno della sua clemenza nei confronti di Atanasio, designandolo come loro futuro prelato. Si dice che egli fosse così colmo di nettare da addolcire tutti e che sua signoria il vescovo Giovanni nutrisse per lui un così grande affetto paterno che, parlando di Atanasio, non apriva mai la bocca senza dire la parola figlio[368]. Tutto il popolo lo amava e, senza che il Signore fosse intervenuto, tutti facevano a gara per rivolgergli splendide lodi e, poiché l'Onnipotente aveva predestinato di porlo davanti al mondo, egli era già considerato come un devoto alla castità e santo.

Partito quindi sua signoria Giovanni per la patria celeste[369], tutto il popolo volle con forti grida la sua elezione immediatamente[370]. Atanasio fu subito eletto e dopo pochi giorni andò a Roma. Qui fu onorevolmente accolto e ancora più onorevolmente consacrato[371], dopodiché tornò gloriosamente a Napoli. Una volta insediato, egli cominciò a usare in abbondanza il tesoro di dottrina[372], che aveva succhiato durante l'infanzia. Istituì delle scuole per lettori e cantori. Stabilì che alcuni fossero istruiti nella grammatica, altri li destinò alla carriera di scriba. Il pastore provvido costruisce così l'ovile del proprio gregge in modo che esso non manchi di nulla; presentando la propria opera di custode al Signore, egli avrebbe senza dubbio potuto udire: "Che ai tuoi tempi fiorisca la santa Chiesa redenta dal sangue di Cristo"[373].

Egli inoltre fece restaurare la chiesa di san Gennaro posta in quello stesso edificio[374] e in essa ordinò di dipingere le effigi dei nobili dottori e di fare un altare di marmo con i bordi d'argento che coprì con un manto sul quale ordinò che fosse ricamato il martirio di san Gennaro e dei suoi compagni. Allo stesso modo fece porre nella chiesa Stefania tredici veli[375] su cui erano dipinte le storie dei Vangeli e ordinò che come ornamento essi pendessero dalla cima delle colonne. Sull'altare della medesima chiesa pose quattro veli di quel tipo, decorati con molto oro e molte gemme. Fece fare moltissimi veli che volle offrire come ornamenti delle chiese.

Nella chiesa Stefania fece porre non pochi vasi d'argento. Per la fabbricazione di corone grandi e piccole e altri recipienti sacri fece pesare quarantotto libbre d'argento. Di questo metallo fece fare una grande patena sulla quale era scolpito il volto del Salvatore e quello degli angeli e il cui interno fece fare d'oro. Fece anche costruire due vasi d'argento del peso di venti libbre; su uno di essi era stato inciso il nome Sergio[376]. Fece fare pure alcuni breviari usati dai cantori durante le festività. Per le celebrazioni quotidiane pose nell'episcopio circa cento libbre d'argento in cucchiai e recipienti.

Ordinò anche che nella chiesa del Salvatore fosse celebrata ogni giorno una messa pubblica per i defunti[377] e offrì a quella stessa chiesa alcune terre con le quali si potesse

---

[372] «ubertas doctrinae» è usata in Ambrosius Mediolanensis - *Expositio psalmi cxviii*, littera 15, c. 12, p. 337, Augustinus Hipponensis, *De baptismo*, V, 17, e Cassiodorus, *Expositio psalmorum*, psalmus 29.

[373] Espressioni simili a questa sono molto diffuse nella Patristica. Vedi, ad esempio, Ambrosius Mediolanensis, *De Abraham*, II, 11: «quia pretio sanguinis Christi redempta ecclesia».

[374] Si ritiene che si tratti di una cappella dedicata a san Gennaro e situata all'interno dell'episcopio. *Gesta episcoporum Neapolitanorum*, a cura di G. Waitz, p. 434, nota 1; Lucherini, *La cattedrale di Napoli*, pp. 137-138.

[375] Si è ipotizzato che questi veli fossero di seta. Venditti, *L'architettura dell'alto Medioevo*, p. 794.

[376] Atanasio l'aveva probabilmente fatto eseguire in onore di suo padre.

[377] I dittici erano gli elenchi dei defunti, in particolare vescovi, per i quali si pregava durante la messa. Niermeyer, *Mediae Latinitatis Lexicon Minus*, p. 335.

ordinavit xenodochium in atrio prędictę ecclesię, multis terris oblatis, quatenus egenorum et advenarum esset repausatio. In ecclesia denique sancti Ianuarii foris sita monachorum collegium sub abbatis regimine ordinavit, offerens eis unum hortum in campo Neapolitano positum. Multas igitur ecclesias, quarum sacerdotes paupertate // (f. 126ᵛ) laborabant, oblatis suae largitionis muneribus sușque pręparationis rebus sublevare curabat.

Que si cuncta recensere volumus et nobis est longum ire per singula et lectoribus ingerimus non parvum fastidium.

Eodem quoque tempore Misenatis ecclesia, peccatis exigentibus, a paganis divasta-taᵃ est. Cuius omnes pene immobiles res, hoc presule supplicante, genitor eius Sergius dux Neapolitano concessit episcopio. Et in altare ecclesię Stephanię cooperuit velamen cum auro et gemmis atque listis ornatum, quod ipsius et uxoris eius Drusu continet nomen. Dedit etiam in eiusdem episcopii bibliothecam tres Flabii Iosepi codices.

[64.] Pręterea, mortuo Sergio consule, et Gregorio, filio eius, ducatum regente, Sara//(f. 127ʳ)cenorum ferocitas ita in his pręvaluit regionibus, ut multarum urbium atque castro-rum cotidianum fieret excidium. Idcirco Lhodoguicus imperator supplicatione commotus Langobardorum, ad eorum liberationem validum movit exercitum, asserens se rationem redditurum, si, pro quibus Christus descendit de sinu Patris subiens corpoream mortem, non eos a paganissimo iugo liberaret oppręssos. Huius autem adventui omnium circumqua-que urbium patuit introitus. Solummodo Neapolitanam non est ingressus civitatem, quia tantam iste domnus Athanasius familiaritatem apud eum obtinuit, ut saltem in modico non amaricaretur ab eius potestate. // (f. 127ᵛ) Beneventi itaque commorans, magnam de cęlo accepit victoriam, ita enim ut, Agarenis fame et gladio interemptis et rege eorum Seudan capto, civitates, quas coeperant, auferret et in pristinum revocaret dominium.

[65.] Interea Gregorius dux, habito cum suis germanis consilio, pręsertim cum domno Athanasio episcopo, statuit consulem Sergium, filium suum. Nec multo post diuturnitate ęgritudinis spiritum exalavitᵇ. Quo mortuo, Sergius consul, instinctu malo-rum hominum, coepit omnes germanos patris sui, etiam eundem pręsulem.

ᵃ   devastata *Capasso.* ᵇ exhalavit *Waitz.*

[378] Non è chiaro dove si trovi questa località. Forse si tratta dello stesso luogo definito *campum de Neapolim* in *Cronicae Sancti Benedicti Casinensis,* II, 25, e *campum, qui Neapolis dicitur* in Falcone di Benevento, *Chronicon Beneventanum,* p. 236.

[379] Vari autori usano tale espressione. Vedi, ad esempio, Augustinus Hipponensis, *Contra Iulianum opus imperfectum,* IV, 12: «longum est ire per singula».

[380] Cfr. *Vita sancti Cuthberti (BHL 2019) auctore monacho Lindisfarnensi,* I, 7: «ne fastidium lectori in-gererem».

[381] Probabilmente l'autore si riferisce al raid musulmano descritto in *Gesta Episcoporum Neapolitanorum,* c. 60.

[382] Il nome della moglie di Sergio è riportato anche in *Vita s. Athanasii,* c. 2, p. 121.

[383] L'opera più famosa dello storico ebreo Flavio Giuseppe, vissuto tra il 37 d. C. e gli inizi del secondo secolo, è la *Guerra giudaica,* nella quale egli descrisse la rivolta degli Ebrei contro i Romani, che culminò nella distruzione di Gerusalemme nel 70. È probabile che, uno, o forse tutti i codici menzionati da Giovanni Diacono contenessero la *Guerra giudaica,* che lo stesso Flavio Giuseppe aveva tradotto in greco dall'aramaico.

mantenere il suo clero. Grazie alla donazione di molte terre, istituì poi uno xenodochio nell'atrio della medesima chiesa affinché i bisognosi e i forestieri potessero trovare ristoro. Nella chiesa di san Gennaro, situata al di fuori della città, istituì un gruppo di monaci sotto la guida di un abate ai quali offrì un orto posto nella piana di Napoli[378]. Grazie ai doni, frutto della sua generosità, e alla dotazione di vari oggetti si premurò di recare aiuto a molte chiese nelle quali i sacerdoti lavoravano in povertà.

Se volessimo riferire ogni cosa, impiegheremmo molto tempo a descrivere ogni singola cosa[379] e imporremmo ai lettori un non piccolo fastidio[380].

In quel tempo, a causa dei peccati dei Napoletani, la chiesa di Miseno fu devastata dai pagani[381]. Su preghiera del presule, il padre di questi, il duca di Napoli, Sergio, concesse all'episcopio quasi tutti i beni immobili della Chiesa di Miseno. Egli fece porre sull'altare della chiesa Stefania un manto ornato d'oro, gemme e orli sul quale c'era il nome di Sergio e quello di sua moglie Drusu[382]. Diede anche alla biblioteca dell'episcopio tre codici di Flavio Giuseppe[383].

[64.] Morì nel frattempo il console Sergio e, mentre reggeva il ducato suo figlio Gregorio[384], la ferocia dei Saraceni in quelle regioni fu tale che ogni giorno venivano distrutte molte città e centri fortificati. Sollecitato dalla supplica dei Longobardi, l'imperatore Ludovico quindi condusse là un potente esercito per liberarli, asserendo che avrebbe dovuto rendere conto se, in favore di quelli per i quali Cristo discese dal grembo del Padre per subire la morte corporea, non avesse liberato coloro che erano oppressi da quella dominazione pagana.

Al suo arrivo tutte le città circostanti permisero che egli entrasse. Non entrò solamente nella città di Napoli, poiché sua signoria Atanasio era riuscito a ottenere una tale familiarità con l'imperatore da non doversi nemmeno rammaricare del suo potere[385]. Mentre risiedeva a Benevento, Ludovico ottenne dal cielo una così grande vittoria che, dopo avere sterminato gli Agareni con la fame e la spada e avere catturato il loro re Sawdān[386], tolse loro le città che essi avevano preso e vi ripristinò la precedente dominazione.

[65.] Nel frattempo il duca Gregorio, consigliatosi con i fratelli, soprattutto con sua signoria il vescovo Atanasio, stabilì che diventasse console suo figlio Sergio. Non molto tempo dopo, egli morì a causa di una malattia. Dopo la sua morte, su suggerimento di alcuni uomini malvagi, il console Sergio[387] imprigionò tutti i fratelli di suo padre, compreso lo stesso presule[388].

---

[384] Gregorio III fu duca di Napoli dall'865 all'870.

[385] Il cronista pare sottintendere che Ludovico II si fosse recato in tutte le città della zona per ottenere la fedeltà degli abitanti, azione che però non era stata necessaria con i Napoletani grazie ai buoni rapporti tra il sovrano e il vescovo Atanasio. Al fatto che l'imperatore non fosse entrato a Napoli sembrano alludere anche le *Cronicae Sancti Benedicti Casinensis*, I, 9.

[386] Si tratta dell'ultimo emiro di Bari. La sua cattura risale all'871, anno in cui Ludovico II espugnò la città pugliese. Cfr. Musca, *L'emirato di Bari*, pp. 61 sgg.

[387] Sergio II governò il ducato di Napoli dall'870 all'878.

[388] Secondo la biografia di Atanasio, fu la suocera del duca a istigarlo a imprigionare i suoi zii. *Vita s. Athanasii*, c. 7. Questa decisione di Sergio II fu probabilmente dettata dal desiderio di liberarsi della tutela dei

Quibus segregatim custodia mancipatis, infra septimi diei spatium collecti omnes monachi, servi Dei, sacerdotes et clerus, clamabant lacrimis // (f. 128ʳ) profusis: «Sergi consul, redde nobis pontificem, dimitte sanctum, patrem orphanorum, defensorem viduarum, totius regionis lumen, consolatorem tristium, solve hominem per quem omnis patria pacificata manebat, alioquin gratam suscipiemus peregrinationem, quatenus, nobis absentibus, tanti sceleris ira in te deseviat». Quid ageret, quo se verteret, non habebat; coangustatus itaque tandem aliquando memoratum antistitem illis dimisit, tali sacramento constrictum, ut nusquam sine consensu eius abiret, nisi tantum ad ecclesiasticam explendam consuetudinem. Diebus igitur decem expletis, comeatum[a] petivit, quasi convivium monachis insulę Salvatoris exhibiturus. Quo accepto, // (f. 128ᵛ) nihil moratus cum omnibus clericis in eandem ascendit insulam. Desiderabat enim quodammodo suos germanos ex ergastulo, quo detinebantur, producere. Sed Sergius nolens a tanta mentis obstinatione recedere, agebat: «Non solum autem istos patiar esse solutos, insuper eundem episcopum ex ipsa insula trahere conabor».

Propterea domnus Athanasius episcopus suum apocrisarium domno Lhodoguico imperatori destinans, insinuavit ei, quę et quanta a suo pateretur nepote. Tunc ille ex urbe Beneventana Marino seniori Amalphitanorum pręcepit, ut illum ex pređicta insula cum omnibus eius hominibus incolumem, quo vellet, perduceret. Marinus autem imperata complere festinans, Surrentum // (f. 129ʳ) illum cum omnibus salvum perduxit. Hic itaque eo degente, Beneventani et Salernitani, ęmulatores tantę bonitatis pređicti imperatoris, insurrexerunt cum consilio Sergii ducis contra eum. Quo capto unaque cum coniuge sua recluso, plurimi Franci, amisso pastore, luctifero ululatu reversi sunt in regionem suam. Postmodum vero Beneventani, Salerno iam a superventu Saracenorum obsessa, dimiserunt ipsum imperatorem, sub sacramento districtum[b], quod nullatenus pro tanta inhumanitate, quam ei ingesserant, redderet eis meritum. Cui Athanasius episcopus obviam ire satagens, ilico Surrento egressus,

---

ᵃ commeatum *Waitz*. ᵇ *Così Waitz. C corregge* e *di* districtum *in* i.

suoi parenti, soprattutto di Atanasio, la cui politica di alleanza con i Franchi non era condivisa dal nuovo duca. Cassandro, *Il ducato bizantino*, p. 84; Bertolini, *Atanasio, santo*, p. 509; Russo Mailler, *Il ducato di Napoli*, p. 367.

[389] Cfr. Salmi 67.6: «patri pupillorum et defensori viduarum».

[390] Cfr. Augustinus Hipponensis, *In Iohannis euangelium tractatus*, tract. 49, par. 7: «etiam mortuorum suscitator, et tristium consolator».

[391] Le proteste suscitate dall'imprigionamento del vescovo sono descritte anche nella *Vita s. Athanasii*, c. 6, pp. 132-133.

[392] Cfr. M. Tullius Cicero, *In C. Uerrem orationes sex*, II, 2: «quid ageret, quo se verteret nesciebat», Gregorius Turonensis, *Liber in gloria martyrum*, c. 41: «quid ageret, quo se verteret, ignorabat», e Gregorius Turonensis, *Liber in gloria confessorum*, c. 1: «quid ageret, quo se verteret, in ambiguo dependebat».

[393] In quest'isola, chiamata in precedenza Megaride e, dal nono secolo, isola del Salvatore (oggi Castel dell'Ovo), c'erano alcune *celle* che il vescovo Atanasio trasformò in un monastero (S. Salvatore *in insula maris*). Cilento, *La Chiesa di Napoli nell'alto Medioevo*, p. 658; Napoli, *La città*, p. 769; Arthur, *Naples, from Roman Town to City-State*, pp. 69-71.

[394] L'espressione «tanta obstinatione mentis» è impiegata in Augustinus Hipponensis, *De natura et origine animae*, II, 4.

Sette giorni dopo il loro imprigionamento, si radunarono tutti i monaci, i servi di Dio, sacerdoti e clero, e piangendo urlarono: «O console Sergio, ridacci il pontefice, rilascia il santo, il padre degli orfani, il difensore delle vedove[389], la luce di tutta la regione e il consolatore degli infelici[390]. Libera l'uomo grazie al quale tutta la patria rimaneva in pace, altrimenti ce ne andremo volentieri, affinché, in nostra assenza, l'ira di Dio ti colpisca per un così grande delitto»[391].

Che cosa fare, come comportarsi, egli non lo sapeva[392]. Messo alle strette in questo modo, infine consegnò loro il vescovo, obbligandolo a giurare che non sarebbe mai andato via senza il suo consenso, se non per compiere qualche ufficio ecclesiastico. Passati dieci giorni, Atanasio chiese il permesso di andare ad abitare insieme ai monaci dell'isola del Salvatore[393]. Avuto il permesso, non indugiò affatto e si recò nell'isola con tutti i chierici. Desiderava infatti fare uscire in qualche modo i suoi fratelli dal carcere nel quale erano detenuti. Sergio, però, non volendo ostinatamente cambiare affatto idea[394], affermò: «Non solo terrò questi in custodia, ma cercherò inoltre di prendere il vescovo da quell'isola»[395].

Per tale ragione sua signoria il vescovo Atanasio inviò un suo messaggero a sua signoria l'imperatore Ludovico, facendogli sapere quali e quante cose aveva subito da suo nipote. Dalla città di Benevento l'imperatore allora ordinò al signore degli Amalfitani Marino[396] di portare Atanasio via incolume da quell'isola con tutti i suoi uomini nella maniera in cui egli voleva. Marino si affrettò a eseguire gli ordini e lo portò a Sorrento sano e salvo con tutti i suoi[397].

Mentre Atanasio risiedeva là, i Beneventani e i Salernitani, invidiosi della grande bontà dell'imperatore, su consiglio del duca Sergio insorsero contro di lui. Essendo stato Ludovico catturato e imprigionato insieme a sua moglie, moltissimi Franchi, dato che avevano perso il loro pastore, tornarono con grida luttuose nella loro regione[398]. In realtà, poi i Beneventani, poiché Salerno era stata improvvisamente assediata dai Saraceni[399], liberarono l'imperatore, obbligandolo a giurare che non avrebbe fatto loro pagare niente per la grande ingiustizia che gli avevano arrecato[400].

---

[395] Il biografo di Atanasio riferisce che, tra i soldati che il duca Sergio II aveva mandato a catturare il vescovo di Napoli, c'erano anche dei musulmani. *Vita s. Athanasii*, c. 6, p. 135.

[396] Marino era prefetto di Amalfi. Schwarz, *Amalfi nell'alto Medioevo*, pp. 49-51.

[397] Nella biografia di Atanasio si racconta che i Napoletani insieme ad alcuni musulmani tentarono di impedire che Marino liberasse il vescovo e che furono sconfitti per intervento divino. Secondo la medesima fonte, Atanasio fu portato a Benevento; quando Ludovico II fu catturato dai Beneventani, il presule si trasferì a Sorrento di cui era vescovo suo fratello Stefano. *Vita s. Athanasii*, cc. 7-8, pp. 135-136 e 139-140.

[398] Giovanni Diacono è l'unico a riportare che l'imprigionamento di Ludovico II nell'871 fu istigato da Sergio II. Nella vita del vescovo Atanasio si riferisce soltanto che, ispirati dal diavolo, i Beneventani catturarono Ludovico II. *Vita s. Athanasii*, c. 8. Per le varie versioni su questo episodio, vedi l'introduzione. L'imprigionamento di Ludovico II è da attribuire al timore dei Beneventani che egli mirasse a espandere i suoi domini nell'Italia meridionale. Russo Mailler, *La politica meridionale di Ludovico II*, pp. 12 sgg., Gasparri, *Il ducato e il principato di Benevento*, pp. 125-126, e Kreutz, *Before the Normans*, pp. 45-47.

[399] Nella *Vita s. Athanasii*, c. 8, pp. 139-140, si riferisce che l'assedio di Salerno era stato voluto da Dio per l'offesa arrecata a Ludovico II e ad Atanasio. Secondo Erchemperto, Ludovico II fu liberato prima che i musulmani assediassero la città campana. Erchemperti *Ystoriola Longobardorum Beneventum degentium*, cc. 34-35.

[400] Nel *Rythmus de captivitate Lhuduici imperatoris*, versi 31-32, opera probabilmente scritta poco dopo l'imprigionamento dell'imperatore, si racconta che Ludovico II giurò di difendere i Longobardi e che non avrebbe cercato di impadronirsi della loro terra.

Romam properavit, ibique detentus est paulisper ab Atriano papa. Ac deinde egressus, // (f. 129ᵛ) Rabennam occurrit predicto[a] imperatori, sicque cum eo revertens in eandem urbem, multis precibus ab eo extorsit, ut suę inmemor[b] iniurię suffragaret Salernitanis, Hismahelitum obsidione ballatis, predicans illi iudicium Domini, in quo unusquisque secundum adinventionem manuum suarum sit recepturus. Unde pius commotus augustus armatam direxit multitudinem, ut Domino protectore bellum inirent adversus illos. Qui celeriter venientes, atque plurima cede Saracenos prostrantes, triumpho de cęlo donato, victoriosissimi repedarunt[c]. Athanasius autem itinerans[d] cum eis, vi febrium laborare coepit; quintodecimo die expleto, omnibus flentibus, migravit ad Dominum. Cuius corpusculum // (f. 130ʳ) ad monasterium sancti Benedicti situm in monte Casino deportantes, in ecclesia sancti Petri ibidem constituta sepelierunt, indictione quinta[e], anno imperatoris[f] [...].

Fuit autem temporibus Leonis et Benedicti et Nicolai et Adriani apostolicorum.

HUC USQUE IOHANNES DIACONUS QUĘ SEQUUNTUR PETRUS EDIDIT NEAPOLITANĘ SEDIS SUBDIACONUS.

---

[a] praedicto *Waitz*. [b] immemor *Capasso*. [c] *Nel testo c'è un segno di richiamo uguale a quello che si trova alla fine del foglio, dove una mano diversa, che sembra coeva, ha scritto* Cesarius vero, germanus ipsius predicti presulis, in ipsa custodia vitam finivit. [d] iterans *C*. [e] *Una mano diversa ha aggiunto* quinta *su spazio lasciato in bianco.* [f] imperat *Waitz*.

[401] Secondo la *Vita s. Athanasii*, c. 8, pp. 140-141, il vescovo era andato a Roma per convincere il papa a togliere la scomunica comminata ai Napoletani.

[402] Nella biografia di Atanasio si narra che il prelato partenopeo si recò a *Sabinis* insieme al vescovo di Capua Landolfo, un ambasciatore di Salerno e alcuni rappresentanti papali per ottenere l'aiuto di Ludovico II. Questi accettò di intervenire, ma, prima di recarsi a Salerno, andò con Atanasio a Roma, dove il pontefice diede il suo assenso per quell'azione e chiese all'imperatore di fare in modo che ad Atanasio fosse restituita la sua sede. *Vita s. Athanasii*, c. 8. Secondo Erchemperto e l'anonimo salernitano, fu il presule di Capua, Landolfo, a sollecitare l'intervento di Ludovico II. Il cronista salernitano specifica che Landolfo si recò a Pavia per chiedere al sovrano di perdonare i Longobardi e di difenderli dai musulmani. Erchemperti *Ystoriola Longobardorum Beneventum degentium*, c. 35; *Chronicon Salernitanum*, c. 117.

[403] Nella *Vita di s. Atanasio* si racconta che il vescovo, celebrata la messa per la festività degli apostoli, si ammalò e poi morì a S. Quirico, presso Arce, alle idi di luglio. *Vita s. Athanasii*, c. 8, pp. 142-143.

Atanasio, volendo andargli incontro, lasciò subito Sorrento e si diresse verso Roma e lì fu trattenuto per un po' di tempo da papa Adriano[401]. Partito da lì, si recò a Ravenna dall'imperatore e quindi, mentre tornava con lui nella medesima città, con molte preghiere e ricordandogli che nel giorno del giudizio del Signore ciascuno sarà accolto a seconda dei propri meriti, riuscì a ottenere che egli dimenticasse l'offesa subita e che aiutasse i Salernitani assediati dagli Ismaeliti. Il pio imperatore si commosse ed inviò un gran numero di soldati, affinché con la protezione di Dio combattessero contro quelli[402]. Andarono là velocemente e, ricevuto il trionfo dal cielo, prostrarono i Saraceni con una grandissima strage e tornarono da vincitori.

Atanasio andò con loro, ma la febbre lo colpì violentemente; quindici giorni dopo, mentre tutti piangevano, egli migrò al Signore[403]. Portarono il suo corpo nel monastero di san Benedetto situato a Montecassino e lo seppellirono nella chiesa di san Pietro lì situata[404] nella quinta indizione, nell'anno dell'imperatore …[405]

Visse ai tempi dei papi Leone[406], Benedetto[407], Niccolò[408] e Adriano[409].

FINO A QUI HA SCRITTO IL DIACONO GIOVANNI. IL SUDDIACONO DELLA SEDE NAPOLETANA PIETRO HA COMPOSTO LE COSE CHE SEGUONO

[404] Tale particolare è riferito anche nella *Vita s. Athanasii*, c. 8, p. 142. La chiesa di san Pietro sorgeva nella zona in cui si trova l'attuale sacrestia di Montecassino. A causa della ristrutturazione dell'abbazia voluta nell'undicesimo secolo dall'abate Desiderio, S. Pietro fu poi posta nell'atrio del monastero. Cfr. Morin, *Pour la topographie ancienne du Mont-Cassin*, p. 287; Avagliano, *Monumenti del culto a s. Pietro in Montecassino*, pp. 61-63. Il corpo di s. Atanasio fu trasferito a Napoli cinque anni dopo. *Vita s. Athanasii*, c. 10; *Translatio s. Athanasii*, pp. 145-162.

[405] In questo periodo l'imperatore bizantino era Basilio (867-886). La stessa indizione è indicata anche nella *Vita s. Athanasii*, c. 8, p. 142, dove si riferisce anche il nome del sovrano.

[406] Leone IV (847-855).

[407] Benedetto III (855-858).

[408] Niccolò (858-867).

[409] Adriano II (867-872).

[PETRI SUBDIACONI GESTA EPISCOPORUM NEAPOLITANORUM]

[66.] Athenasius[a] iunior episcopus, nepos videlicet prefati Athenasii[b] presulis, filius Gregorii consulis ac ducis, sedit ann. XXII, mens. V, dies II[c].

Hic utique vir altioris ingenii hac mirabilis prudentię fuit. Consęcratus est autem in ecclesia beati Nazarii martyris, sita in loco qui dicitur Canzia, territorio Capuano, a Iohannę octabo papa, qui eo tempore illuc advenerat, ut Sergius consul et dux, germanus predicti presulis, fędus dirrumperet cum // (f. 130ᵛ) Agarenis, qui tunc Neapoli habitabant et Romanam provinciam pęnitus dissipabant. Huius namque temporibus tanta locustarum densitas in Campanię partibus, et maxime in hac[d] Parthenopensi territorio, exorta est, ut non solum segetes, sed etiam arborum folia et hortorum holera viderentur[e] esse consumpta. Qua peste omnes accolę nimio terrore perculsi, utpote famis penuria se interire credentes, predictum presulem Athenasium adierunt, ut speciale[f] consilium eis preberet et Dominum exinde supplicaret. Quorum precibus ocius et humiliter parens, consilium salutiferum cum eis iniit[g], ut ieiuniis atque elemosinis Dominum exorantes, in honorem beati Iuliani martyris uno die basilicam construerent et missarum sollemnia pro tali peste illic communiter celebrarent, sicut de tali clade audierat in //

---

[a] Un'altra mano ha scritto a sopra la e di Athenasius. [b] Athanasii Waitz Capasso. [c] Un'altra mano ha aggiunto V, dies II. [d] hoc Capasso. [e] C aggiunge n a videretur. [f] spirituale Capasso. [g] init Capasso.

[410] Atanasio II (876-898).
[411] Questa espressione è usata in Sulpicius Severus, Vita sancti Martini Turonensis, c. 5.
[412] Giovanni VIII (872-882).

PIETRO SUDDIACONO
STORIA DEI VESCOVI NAPOLETANI

[66.] Il vescovo Atanasio il giovane, nipote del suddetto presule Atanasio e figlio del console e duca Gregorio, sedette sulla cattedra vescovile per 22 anni, 5 mesi e 2 giorni[410].

Questi fu soprattutto un uomo di ingegno superiore[411] e di straordinaria prudenza. Fu consacrato nella chiesa del beato martire Nazario, che è situata nella località chiamata Canzia, in territorio capuano, da papa Giovanni ottavo[412], che in quel periodo si era recato là, affinché il console e duca Sergio, fratello del suddetto presule, rompesse l'alleanza con gli Agareni che in quel periodo dimoravano a Napoli e causavano tremende distruzioni alla provincia romana.

Ai suoi tempi, in Campania e soprattutto nel territorio partenopeo, ci fu una tale quantità di locuste che andarono distrutti non soltanto i raccolti, ma anche le foglie degli alberi e le verdure degli orti[413]. Scossi da un gran terrore a causa di quella peste e credendo di morire a causa della carestia, tutti gli abitanti si recarono dal predetto presule Atanasio affinché desse loro un consiglio spirituale e poi supplicasse il Signore di aiutarli. Obbedì alle loro preghiere con grande velocità e umiltà e insieme a loro pose in atto il salutare rimedio di supplicare il Signore con digiuni ed elemosine, di costruire un giorno una basilica in onore del beato martire Giuliano e di celebrare lì tutti insieme delle messe solenni, poiché di quella peste aveva sentito[414]

---

[413] Un'invasione di locuste colpì nell'873 anche l'Italia settentrionale e varie regioni oltralpine. Andrea da Bergamo, *Historia*, c. 21; Reginonis abbatis Prumiensis *Chronicon*, a. 873, p. 105; *Les Annales de Saint Bertin*, a. 873; *Annales Fuldenses*, p. 78; *Annales Vedastini*, p. 40; e *Annales Xantenses*, p. 33.

[414] Il manoscritto si interrompe in questo punto.

INDICE DELLE CITAZIONI BIBLICHE

INDEX VERBORUM[*]

Abbas: 63.

Abbatissa: 42, 46, 52.

Abire: 36, 41, 53, 65.

Abradere: 11.

Abscondere: 60.

Absens: 56: «absens et contrarius ibat», 65: «nobis absentibus».

Absida: 4, 16, 42, 45.

Abstinentia: 10.

Abundantia: 4.

Accedere: 42: «omnes Neapolites ad prędictum accedentes pręsulem, magnis postularunt precibus, ut ecclesię sanctę providus pastor accederet».

Accendere: 42, 46: «femineis flammis accensa».

Acceptio: 2: «per dominici talentis acceptionem».

Accersire: 6.

Accersitus: 59.

Accingere: 59.

Accipere: 25, 46, 49, 56, 57, 59, 60, 64, 65.

Acclamare: 46, 63.

Accola: 51, 66.

Accubitum: 19.

Acquisire: 42, 59.

Actus: 56: «de vite illius actibus».

Acus: 63: «velamen cooperuit, in quo martyrium sancti Ianuarii eiusque sociorum acu pictili opere digessit».

Acutissimus: 39: «loricam falcatam, quem novaculis acutissimis ex omni parte munivit».

Addere: 42.

Adducere: 54: «super eosdem Gręcos adduxit», 56.

Adesse: 62.

Adfere: 42: «in qua corpus eiusdem martyris allatum».

Adgrescere: 39: «ne in tantam multitudinem famis adgresceret».

Adimplere: 56.

Adinventio: 54, 65.

Adipiscere: 2, 60.

Adiutorium: 42.

Adnuntiare: 4.

Adolescentia: 56, 61.

Adolescere: 56.

Adulare: 41.

Advehere: 50.

Advena: 63.

Adventus: 4: «Domini adnuntiatur secundum adventum», 64.

Adversum: 2: «prudens in adversis».

Adversus: 54, 57, 65.

Advesperascere: 35: «Advesperascente die».

Adivivere: 36.

Aedificium/Ędificium: 8, 19, 41, 42.

Aetas: 2.

Affectus: 63: «Iohannes episcopus paterno affectu in tantum eum diligeret».

Afficere: 47, 56: «multis affectus conviciis».

Affligere: 56: «Maxime ex captione prędicti Tiberii episcopi, ita ut ęgrotaret, afflictus est. Sed sicut supra retulimus cum prędictus Bonus Tiberium tenebroso carcere et execrabili fame affligeret».

[*] Gli indici sono stati realizzati in base ai capitoli dell'opera.

Affluenter: 63.

Aggredi: 60: «bellum cum eis est aggressus».

Aggregari: 56.

Alere: 50, 63.

Alimonia: 31.

Aliquantulum: 56.

Allidere: 60: «ne navibus allisis terram caperent».

Altare: 19, 42, 44, 63: «faciens ibi marmoreum altare cum regiolis argenteis... in altare eiusdem ecclesię huius operis quattuor velamina optulit... in altare ecclesię Stephanię cooperuit velamen».

Altarium: 2: «In altario beate Dei genetricis semperque virginis Marię, que dicitur Cosmidi... in oratorio ecclesie Stephanie partis leve introeuntibus sacro altario adeptus exultat», 46, 52.

Altercatio: 41.

Altior: 66: «vir altioris ingenii».

Alvatus: 25.

Amare: 63.

Amaricare: 64: «ut saltem in modico non amaricaretur ab eius potestate».

Amaricari: 46: «Nequeo exinde amaricari Eupraxiam meam uxorem».

Amator: 2: «Fuit amator pauperum... Amator patrie».

Amentia: 41.

Amicus: 41.

Ammonere: 43.

Ammones: 42: «ammones ex eodem decoravit metallo».

Amor: 41.

Ampliare: 57.

Amplus: 19: «amplis ędificiis in gyro distinxit», 50: «amplam construxit ecclesiam».

Ampulla: 59.

Anathematizare: 45.

Anceps: 54: «In ipso enim precinctu ancipiti victores reddidit Gręcos».

Ancilla: 52.

Anfractus: 46: «per anfractam locutionem».

Angelus: 62, 63.

Angustatus: 56.

Angustus: 60: «in locis angustis».

Animadvertere: 60: «hoc animadverso».

Animare: 59.

Animus: 57: «libenti animo ducem statuentes».

Annectere: 55.

Annualiter: 31.

Annuens: 31, 35, 36.

Antipenton: 42: «fecit crucem auream; mirabili fabrefactam opere, quod spanoclastum et antipenton vocitatur».

Antiquus: 51: «antiqui hostis», 55: «antiquę aspidis».

Antistes: 10, 12, 36, 44, 48, 55, 63, 65.

Aperire: 63.

Apocrisarius: 45, 57, 59, 65.

Apostolicus: 4, 14, 16, 41-43, 45, 52, 56, 65.

Apostolus: 4, 10, 59, 60.

Apparatus: 48, 54.

Appendere: 63: «ad magnas brevesque fabricandas coronas et alia sacra vascula quadraginta octo libras argenti appendit... Item paravit duas conchas argenteas appendentes libras viginti».

Appetere: 52.

Applicare: 53.

Apprime: 42, 49.

Appropinquare: 58.

Aptare: 59.

Aptius: 55: «quia aptius in subsequentibus pertinere dinoscuntur».

Aqua: 55.

Aqueductus: 39.

Aranea: 42: «ignis per aranearum forte congeriem in laquearia ipsius ecclesię pervenit».

Arbor: 66.

Arbuscula: 54.

Archiepiscopatus: 36.

Arcuatus: 59.

Arcus: 19.

Arduus: 60.

Argenteus: 19, 63: «altare cum regiolis argenteis... duas conchas argenteas appendentes libras viginti».

Argentum: 19: « Fecit et altare, quem cum columnis et cyburi desuper investivit argento. Fecit fara argentea et arcus quattuor investitos argento», 42, 46, 63.

Armatus: 65: «armatam direxit multitudinem».

Arrianus: 3.

Arripere: 50, 53.

Ars: 49: «vir liberalibus apprime eruditus artibus», 56: «Non enim magnopere liberalium artium, sed divinę doctrinę potissimum quęsivit magistros».

Artare: 55: «carceralibus tenebris religatum arto in pane et aqua macerabat».

Artissimus: 47.

Ascendere: 46, 65.

Asciscere: 57.

Aspis: 55: «antiquę aspidis cauda aurem cordis optusus».

Asportare: 11.

Asserire: 3, 54, 64.

Assertio: 63.

Assolere: 48, 56.

Assumere: 56, 58: «episcopatum assumpsit».

Atrium: 63.

Attamen: 41.

Attendere: 55.

Auctor: 42, 63.

Auctoritas: 11, 41.

Audacior: 60: «nonnullos audaciores absconderunt».

Audere: 46.

Audire: 2, 39, 48, 57, 63, 66.

Augere: 2.

Augustalis: 48, 54.

Augustus: 3, 4, 6, 9-12, 14, 16, 23, 25, 26, 30, 34, 35, 38, 45, 47, 49, 54, 65.

Aureus: 29, 39, 42: «crucem auream... calices aureos cum patena aurea», 59.

Auris: 52, 55.

Aurum: 42: «duo paria mascellarium ex auro... sancti altaris festiva velamina, quę auro gemmisque studuit decorare», 59, 63: «multo auro multisque gemmis decorata... intrinsecus ex auro perfudit... velamen cum auro et gemmis».

Auspicare: 63.

Austrum: 60: «excitavit Dominus austrum».

Auxilium: 29, 61.

Avaritia: 46.

Ballare (= vallare): 65: «Hismahelitum obsidione ballatis».

Baptisma: 41.

Baptista: 3, 19.

Baptisterium: 19.

Baptizare: 3, 25, 41: «omnes occurrentes suos baptizabant filios... una cum pueris eadem in nocte baptizatis».

Basilica: 3, 4, 11, 12, 14, 16, 19, 31, 41, 42, 50. 57, 62, 66.

Beatissimus: 6, 19, 23, 28, 31.

Beatitudo: 2.

Beatus: 2: «In altario beate Dei genetricis... in ecclesia beati Fortunati», 3, 6: «ubi et beatus requievit Ephevus... ubi beatus Fortunatus», 8, 10: «ecclesiam catholicam beatorum Apostolorum... beati tunc erat Severini cęnobium», 11: «ante ecclesias beati Ianuarii martyris... ad nomen beati Stephani lęvitae... ad nomen beatę Eufimię martyris dedicavit. In qua et ipse sepultus quiescit... comperta beati Severini morte», 14, 16, 36, 66: «ecclesia beati Nazarii martyris... in honorem beati Iuliani martyris».

Bellum: 57: «confecto feroci bello», 60, 65.

Benedictio: 25, 36, 42: «cum benedictione dimissus... a benedictionis exordio usque ad alterius diei missarum».

Beredarius: 57: «beredarios Cumas prȩmiserunt».

Bestia: 39.

Bibliotheca: 63.

Bonitas: 12, 39, 65.

Bonum: 59: «multa ei bona periclitanti impendere studuisset».

Bonus: 2: «serve bone», 4: «in quo omnes boni et mali colliguntur ad iudicium», 8: «bonis operibus», 61: «bonȩ adolescentiȩ iuvenem».

Brachium: 60.

Brevis: 41, 62, 63.

Cacumen: 42, 54.

Cadaver: 35.

Calix: 42.

Calle: 60.

Calliditas: 60.

Campus: 63.

Canonice: 41, 59.

Cantor: 42, 63: «Ordinavit autem lectorum et cantorum scolas... Fecit et comiticlos, quibus cantores per festivitates uterentur».

Captio: 56.

Captivitas: 54, 60.

Captivus: 57.

Caput: 2, 56, 63.

Carcer: 54, 56.

Carceralis: 55.

Cardinalis: 42.

Caritas: 35, 58.

Carnis: 59.

Carus: 56.

Castellum: 11: «ad castellum montem Feletem... in castello Lucullano», 57, 60.

Castrum: 36: «Cumanum castrum... recepturus castrum advenero... ipsumque castrum intrantes receperunt», 64.

Catatumba: 2.

Caterva: 61.

Cathedra: 41, 58.

Catholicus: 10, 63.

Catinum: 63.

Cauda: 55.

Caulae: 63.

Cedes: 65: «plurima cede Saracenos prostrantes».

Celebrare: 63, 66.

Celebs: 63.

Celeriter: 60, 65.

Cȩlestis: 10, 41, 45, 55, 56, 61, 63.

Cella: 50.

Cellula: 31, 50.

Cȩlum: 2, 4, 41, 60, 62, 64, 65.

Cȩnobium: 10.

Censere: 50: «statuit cellulas, quas hospitibus peregrinisque censuit habitari».

Ceraptata: 46: «fecit ceraptatas quinque».

Cereus: 42.

Cernere: 41, 42.

Certamen: 62.

Certatim: 63.

Cessare: 2, 10, 43, 57.

Chorus: 62.

Chrisma: 59.

Christianus: 3: «Iste primus imperatorum christianus effectus, licentiam dedit christianis libere congregari».

Circuitus: 39.

Circulus: 31, 57.

Circumcingere: 52.

Circumquaque: 64.

Civis: 53.

Civitas: 2, 4, 10, 11, 31, 39, 41, 53, 54, 60, 64, 64.

Clades: 35, 42, 56, 66.

Clamare: 43, 56, 63, 65.

Clanculo: 41.

Ċlarus: 10.

Claustrum: 54: «claustra eiusdem petierunt civitatis».

Clementia: 63.

Clericalis: 46: «clericali officio».

Clericus: 41, 42: «Unde etiam prope omnes clerici eiusdem episcopii vitam finirent... Romam direxit tres clericos... alios deinde clericos in monasterium sancti Benedicti Paulo lęvitę destinavi... Ad clericorum itaque victum», 52, 56, 59, 65.

Clerus: 41: «clerus omnis et populus cunctus canonice illi ut vero optemperabant pastori... Mox eius exequias totus clerus omnisque sexus et ętas una cum pueris eadem in nocte baptizatis», 65.

Coangustatus: 54, 65.

Coclearium: 63.

Codex: 59, 63.

Cogere: 54: «ut permissu regis eorum coacto magno exercitu Constantinopolitanam obsideret urbem».

Cognomen: 45, 56.

Cognomentum: 42.

Cognoscere: 57.

Collegium: 63: «offerens ibidem terras, ex quibus eiusmodi aleretur collegium... In ecclesia denique sancti Ianuarii foris sita monachorum collegium sub abbatis regimine ordinavit».

Colligare: 63: «alios colligavit ad scribendi officium».

Colligere: 4, 39, 65.

Collocare: 2: «gremio sancte matris ecclesię collocavit... per manus pontificum collocarunt in ecclesia Stephania», 11, 31, 42, 50, 59, 62.

Colloquium: 41.

Columba: 56.

Columna: 19, 25, 63.

Comeatus: 65: «comeatum petivit».

Comitatus: 61.

Comiticlus: 63: «Fecit et comiticlos, quibus cantores per festivitates uterentur».

Commanere: 61.

Commendare: 35.

Comminare/Cominare: 55, 56, 60.

Commorare: 64.

Commovere: 53, 57: «Pro quibus commotus Andreas dux... Neapolitani siquidem commoti de morte turpissima sui ducis», 64, 65.

Communiter: 66.

Commutare: 39.

Compellere: 54.

Comperire: 11, 46.

Complere: 36, 41, 65.

Complex: 45, 53.

Comprehendere: 46, 48, 54, 55, 60.

Conari: 43, 56: «nonnullis conantibus assumere», 60, 65: «eundem episcopum ex ipsa insula trahere conabor».

Concedere: 41, 63.

Conceptare: 53.

Concha: 63.

Concilium: 3, 42, 45.

Concivis: 41, 57.

Concussus: 35.

Condemnatio: 3, 58.

Condere: 2, 6, 11, 42.

Conectere: 42, 50.

Conexio: 41.

Confessio: 4.

Confessor: 2, 8, 11, 42.

Conficere: 57, 59.

Confidere: 60.

Confiteri: 35: «suaque scelera mutuo confitentes», 45 «multis lacrimis et gemitibus se errasse confitens», 59.

Conflictus: 60: «litoreum conflictum cum eis coepisset».

Confligere: 39: «statuens semet ipsum cum dracone conflicturus».

Confluere: 29.

Congeries: 42: «per aranearum forte congeriem».

Conglutinare: 41.

Congregare: 3: «licentiam dedit christianis libere congregari... concilium trecentorum decem et octo patrum a Constantino ad condemnationem Arrii congregavit».

Congregatio: 11: «cum cuncta congregatione... cum sancta eius congregatione».

Congruus: 55.

Coniungere: 46.

Coniunx: 10, 50, 57, 65.

Coniurare: 57.

Coniurator: 54.

Consecrare: 2, 4, 41: «non potuit
consecrari... statim consecratus
episcopus», 42, 45, 52, 63, 66.

Consecutus: 54.

Consensus: 41, 56, 65.

Consignare: 2.

Consignatorium: 25.

Consiliator: 54.

Consilium: 39, 41, 53, 57, 65: «Gregorius
dux, habito cum suis germanis
consilio... insurrexerunt cum consilio
Sergii ducis contra eum», 66: «ut
speciale consilium eis preberet...
consilium salutiferum cum eis iniit».

Consistere: 57.

Consolare: 42.

Consolatio: 58.

Consolator: 65.

Consortio: 56: «novit Dominum ab initio
pauperum egenorumque consortio
usum».

Conspicere: 39.

Conspicuus: 2.

Conspirare: 48, 49.

Constanter: 39.

Constrictus: 65.

Constructio: 16.

Construere: 3, 14, 41, 42, 50, 66.

Consuetudo: 65: «ad ecclesiasticam
explendam consuetudinem».

Consul: 42, 50, 53, 56, 57, 59, 64-66.

Consularis: 60.

Consulatus: 50, 57, 46, 55.

Consumere: 35, 55, 66.

Contemnere: 57: «Qua sponsione accepta,
consistens, repedare contempsit».

Contestatio: 11.

Continere: 63: «in altare ecclesię Stephanię
cooperuit velamen cum auro et gemmis
atque listis ornatum, quod ipsius et
uxoris eius Drusu continet nomen».

Contingere: 10: «hoc quod eis postmodum
contigit longe ante futurum prędixit».

Contrarius: 56.

Conversatio: 49: «habitum sanctę
conversationis quęsivit».

Convertit: 6: «Ambrosius Mediolanensis
ecclesię episcopus ad fidem rectam
Italiam convertit».

Convicium: 56: «Pro conviciis non malum,
sed oboedientiam exhibebat ac per hoc
omnibus dulcis, omnibus carus... dolens
magis aliorum quam sua convicia...
vero multis affectus conviciis».

Convivium: 65.

Cooperire: 44, 63: «quod velamen
cooperuit... in altare ecclesię Stephanię
cooperuit velamen».

Copula: 57: «sed ubi cognovit idem Contardus huiusmodi copulam illudendo protelari, coniuravit cum inimicis
Andreę consulis».

Copulare: 2: «nominis sui operibus
copulans», 12: «fecit basilicam ad
nomen Salvatoris, copulatam cum
episcopio».

Cor: 35, 42, 55: «in cuius manu sunt
omnium corda viventium... ille antiquę
aspidis cauda aurem cordis optusus»,
56: «prudentia semper in corde
retinuit... In corde vero illius eadem
patientia».

Corium: 39: «corii solidos pro aureis
nomismatis fecit... et aureos solidos ad
corii solidos commutare».

Corona: 4, 52, 63.

Coronare: 48: «augustali eum diademate
coronaret... ille statim Carolum
coronavit», 54: «Michahelium augustali
diademate coronarunt».

Corporeus: 64: «corpoream mortem».

Corpus: 2, 6, 11, 41, 42: «corpus eiusdem martyris allatum... Corpora quoque sanctorum Euticetis et Acuti martyrum», 56: «nec quamlibet maculam facies in corpore eius», 58, 59.

Corpusculum: 10, 65.

Corripere: 36.

Coruscare: 2.

Cotidianus: 63, 64.

Cotidie: 2: «populos ad viam salutis cotidie evocaret... qui cotidie pro nobis suis famulis exorare non cessat».

Crastino: 54.

Cremare: 42: «igne cremata est».

Crimen: 59.

Crudelis: 43.

Crus: 54: «inclinatis duarum arbuscularum cacuminibus eum crurum tenus ligaverunt».

Crusta: 16: «ad lineam omne stratum ex marmorum crustis».

Crux: 29: «Hic fecit crucem auream mediocrem... inventionis seu exaltationis sanctę crucis», 42, 59.

Cubiculum: 46, 57, 63.

Culmen: 46.

Cumulum: 55.

Cunctatus: 39: «nihil cunctatus, relictos suos, ad eum solus introiit».

Cupere: 41, 50: «Neapoleos consulatus est orta seditio, cupientibus quidem multis honorem ducatus arripere. Tunc Neapolitani cupientes magis extraneo quam talibus suis subesse», 53, 56, 60: «multorum naves Saracenorum latrocinari per Italiam cupientium Pontias devenerunt... Africani in forti brachio omnem hanc regionem divastare cupientes».

Cura: 31: «pro labandis curis».

Curare: 3, 56, 57, 63.

Currere: 56: «igitur ex infimis parentibus procreatus, pauperem cucurrit pueritiam».

Custodia: 57, 58, 65: «Quibus segregatim custodia mancipatis».

Custos: 60: «magis custos quam propugnator».

Cyburium: 19, 42.

Cymiterium: 6.

Dactulus: 35: «glandulę in modum nucis seu dactuli».

Damnare: 3.

Deaurare: 46: «deauravit altarium ecclesię Stephanię. De reliquo vero fecit ceraptatas quinque, ex quibus duas deauravit».

Deauratus: 59: «fecit unam deauratam ampullam».

Debitum: 51.

Decenter: 52.

Decernere: 58: «testes vos habere decrevimus».

Decessor: 46.

Decessum: 36.

Decorare: 41, 42: «patena aurea, quam in giro et medio gemmis decoravit... Fecit et sancti altaris festiva velamina, quę auro gemmisque studuit decorare... ammones ex eodem decoravit metallo», 50, 59, 63.

Decurrere: 45, 50, 62.

Dedicare: 11, 41, 46.

Deducere: 2, 41, 42, 58, 62.

Defendere: 48.

Defensor: 2, 65.

Defungi: 41, 42, 46, 50, 57.

Degere: 36, 41, 65.

Delegare: 31.

Deludere: 54.

Delusor: 54.

Demergere: 60: «excitavit Dominus austrum, quo dispersi atque demersi, paucissimi ex eis ad sedes remearunt suas».

Densitas: 66.

Denuntiare: 4, 11.

Depingere: 4, 16, 19, 25, 42, 46, 59, 63.

Deponere: 6.

Depopulare: 61.

Deportare: 65.

Deprecare: 57.

Depredare: 53.

Depredatio: 47.

Deprimere: 58: «quia peccatorum mole depressus».

Descendere: 56, 60, 64.

Describere: 42, 59: «ampullam, in cuius labiis nomen suum descripsit... Codices vero manu propria utiles et plures descripsit».

Desęvire/Desevire: 42, 65.

Desiderare: 2, 53, 65.

Desiderium: 56: «Cuius desiderium Dominus misericorditer adimplere dignatus est».

Designare: 4, 63.

Desperatio: 47.

Destinare: 42, 59, 65.

Detenere: 39, 41, 62, 65.

Detestabilis: 41.

Detrimentum: 56: «maluit humanum quam divinum subire detrimentum».

Devenire: 35, 39, 60.

Devertere: 60.

Devincere: 60.

Devote: 29.

Devotio: 2, 42.

Devovere: 36.

Dextra: 2, 6, 41.

Diabolicus: 43: «diabolica instigatus supervia».

Diaconatus: 41, 52, 56, 63.

Diaconia: 31.

Diaconus: 41, 42.

Diadema: 48, 54.

Differe: 54, 59.

Digerere: 16, 25, 63.

Dignare: 29, 42, 56.

Dignus: 48.

Diligere: 59, 63.

Diluculo: 57.

Dimittere: 11, 42, 54, 65.

Dinoscere: 55.

Dipticum: 63.

Dirigere: 41, 42, 57, 61, 65.

Diripere: 60.

Dirrumpere: 57, 66.

Disciplina: 42.

Discretus: 11.

Dispergere: 60: «excitavit Dominus austrum, quo dispersi atque demersi, paucissimi ex eis ad sedes remearunt suas».

Disponere: 41.

Dissipare: 66.

Dissolvere: 62.

Distinguere: 4, 19.

Distribuere: 2.

Distringere: 65: «sub sacramento districtum».

Diu: 46, 59.

Diuturnitas: 65.

Diuturnus: 2.

Divastare: 54, 60, 63.

Diversus: 39.

Dividere: 54, 57.

Divinitus: 36.

Divinus: 42, 55, 56: «divinę doctrinę potissimum quęsivit magistros... divinę doctrinę eruditor... divinum subire detrimentum».

Divisio: 61.

Doctissimus: 9.

Doctor: 11, 63.

Doctrina: 56, 63.

Dolere: 56.

Dolosus: 53, 54.

Dominare: 43.

Dominatus: 53.

Dominica: 41: «Dominica namque die sancti Paschę».

Dominicus: 2, 42, 54.

Dominium: 64.

Dominus: 2-4, 8, 9: «supradicti domini Leoni papae», 10, 16, 23: «beatissimi domini Gregorii papae», 25: «domino Sotero episcopo», 29, 31, 35, 36, 39: «domini Stephani papae», 41, 53-56, 58, 60, 62, 63, 65, 66.

Domnus: 41, 42, 43, 46: «Defuncto igitur domno Stephano episcopo... a domno Adriano episcopus est effectus... domnus Stephanus, decessor eius... domnus Stephanus», 57, 58: «de domno Iohanne electo talem sermonem fecit... presentem filium meum domnum Iohannem... domnus Iohannes», 59, 62, 63: «domnus Iohannes episcopus... domno Iohanne», 63, 64, 65: «domno Athanasio episcopo... domnus Athanasius episcopus suum apocrisarium domno Lhodoguico imperatori destinans».

Domus: 35.

Donare: 42: «multis terris et hospitibus donatis», 65: «triumpho de cęlo donato».

Draco: 39: «et draconi se opposuit et ipsum interemit... statuens semet ipsum cum dracone conflicturus... ubi ille teterrimus draco quiescebat».

Dubitare: 55.

Ducatus: 42, 50, 53, 64.

Ducere: 55-57.

Dulcare: 63: «ille tanto mellifluus nectare sic omnes dulcabat».

Dulcis: 56.

Dux: 36, 51, 52, 53: «successorem Theophilacti ducis... misit in lętale consilium ipsius ducis... eidem duci pacem petenti», 53-57, 59, 60, 63, 65, 66.

Ebdomada: 29.

Ecclesia: 2-4, 6, 8, 10, 11, 14, 16, 25, 41, 42, 44-46, 50, 51, 53, 55, 57-60, 63, 65, 66.

Ecclesiasticus: 65: «ad ecclesiasticam explendam consuetudinem».

Edere: 65: «QUĘ SEQUUNTUR PETRUS EDIDIT NEAPOLITANĘ SEDIS SUBDIACONUS».

Edificare: 42.

Ędis: 53: «in ipsius episcopii ędibus».

Edocere: 42: «qui in scola cantorum optime edocti».

Educare: 42: «acsi puerulus in eis fuisset educatus».

Effari: 59.

Effectus: 53: «cum exinde non valeret ad effectum sui venire».

Effigies: 59, 63.

Effulgere: 42, 56, 63.

Egenus: 56, 63.

Ęgre: 46: «studiosos precamur lectores, ut non ęgre accipiant».

Egredi: 25, 65.

Egregius: 41: «egregiam urbem».

Egritudo: 65.

Ęgrotare: 56.

Elabi: 41: «novem sunt menses elapsi».

Electio: 63.

Elegere: 36, 41, 46, 52, 54-59.

Elemosina: 66.

Eloquentissimus: 9.

Emetiri: 11: «multis emensis regionibus».

Eminentissimus: 59.

Emulator: 52, 65.

Enarrare: 56, 59.

Ęneus: 52.

Episcopatus: 41, 46, 58.

Episcopium: 12, 19, 31, 42, 46, 53, 56, 57, 63.

Episcopus: 2-4, 6, 8-12, 14, 16, 19, 21-31, 34-36, 38, 39, 41, 42, 45, 46, 50-52, 55-60, 62, 63, 65, 66.

Ęreus: 52.

Ergastulum: 65.

Erigere: 39.

Errare: 45.

Eruditor: 56.

Eruditus: 42, 49.

Eruere: 48.

Ęstivus: 53.

Ęstuare: 42.

Ętas: 41, 45, 56, 62, 63.

Euge: 2.

Evangelicus: 63: «evangelicam in eis depingens historiam».

Evangelium: 42.

Evocare: 2, 6.

Evolvere: 41, 56.

Exalare: 65.

Exaltare: 60.

Exaltatio: 29.

Examen: 54-56.

Examinatio: 52.

Exanimis: 51.

Exarare: 63.

Exardescere: 10.

Excedere: 45, 49.

Excelsior: 52.

Excidium: 64.

Excipere: 2.

Excitare: 60.

Excubare: 62.

Excutere: 54: «excussum de carcere Michahelium augustali diademate coronarunt».

Execrabilis: 56.

Exemplum: 2.

Exequi: 2, 36.

Exequiae: 11, 41, 62.

Exercere: 48.

Exercitus: 36, 49, 54: «augustus magnum contra eos vexavit exercitum... coacto magno exercitu», 60, 64.

Exhibere: 56, 59, 65.

Exhortare: 41.

Exigere: 55.

Exigere: 63.

Exilire: 60: «de latibulo exilientes».

Exilium: 3, 43, 53.

Existere: 35.

Exolvere: 51.

Exorare: 2, 66.

Exordium: 21, 22, 42.

Exoriri: 3, 35, 66.

Exornatus: 42.

Expellere: 35.

Explere: 39, 57, 42, 65.

Exprimere: 4, 59.

Exsequere: 31.

Extare: 2: «Sanctissimus extitit vitę».

Extinguere: 35, 42.

Extorquere: 65.

Extraneus: 50.

Extrinsecus: 60.

Exultare: 2, 62.

Exultatio: 42.

Fabrefactus: 42, 59.

Fabricare: 46, 50, 63.

Facies: 56.

Factio: 54.

Facultas: 56: «non est nostrę facultatis evolvere».

Falcatus: 39: «Factaque sibi loricam falcatam».

Fames: 39, 56, 64, 66.

Familiaritas: 64.

Famulus: 2.

Fara: 19: «Fecit fara argentea».

Fastidium: 42: «et fastidio sunt legentibus», 63: «lectoribus ingerimus non parvum fastidium».

Fautor: 53.

Favere: 41.

Febris: 35, 65.

Fedissimus: 41.

Fędus: 66.

Femina: 11: «ex rogatu inlustris femine Barbariae... quod prędicta femina condidit», 46: «Eupraxia religiosa femina».

Femineus: 46: «femineis flammis accensa».

Fere: 63: «fere centum libras».

Feria: 29.

Ferme: 41: «duos ferme annos degens».

Ferocissimus: 39: «leonem ferocissimam bestiam pugnando occidit».

Ferocitas: 64.

Ferox: 43: «feroci pectore», 56: «feroci pectore», 57: «confecto feroci bello», 60: «Lhotharius rex Francorum ferocem contra eos populum misit».

Festinare: 36, 47, 65.

Festivitas: 42, 54, 63.

Festivus: 42.

Festum: 41: «paschalibus aliisque festis omnes occurrentes suos baptizabant filios».

Fetor: 39.

Fidelis: 2, 4, 57.

Fideliter: 2.

Fides: 6.

Figuratus: 42.

Filia: 57.

Filius: 9, 11, 27, 31, 35, 36, 38, 39, 41, 42, 45. 47, 54, 55, 57, 58, 60, 61, 63-66.

Finire: 10, 42, 47.

Finis: 10, 41: «tali fine quievit in Domino», 61: «omnium fines depopulantes», 62: «finem daret suo certamini».

Flagellare: 55.

Flagitare: 29.

Flamma: 46.

Flere: 42: «quod flens dico», 65: «omnibus flentibus».

Fletus: 42.

Florere: 63.

Foedus: 57.

Folia: 66.

Fomes: 10.

Fons: 19, 25, 41.

Foris: 2, 4, 6, 8, 11, 53: «ante fores ecclesię», 59, 63.

Formidare: 56.

Forte: 35, 42.

Fortis: 42, 60.

Frater: 11, 31, 58, 59.

Fraude: 36.

Frequens: 41.

Fugare: 47.

Fugere: 35, 48, 54.

Fungere: 41.

Funis: 55.

Furia: 56.

Furor: 57.

Futurum: 10: «hoc quod eis postmodum contigit longe ante futurum prędixit».

Futurus: 63: «antistitem eis designans futurum».

Garrulus: 56.

Gaudere: 2, 41, 62.

Gaudium: 2.

Gemitus: 45.

Gemma: 42, 63.

Gener: 46.

Generalis: 11.

Genetrix: 2, 4, 14, 46.

Genitor: 46, 63.

Genus: 29.

Gerere: 4, 42, 50, 51: «His ita gestis».

Germanus: 65: «habito cum suis germanis consilio... coëpit omnes germanos patris sui... Desiderabat enim quodammodo suos germanos ex ergastulo, quo detinebantur, producere», 66.

Girus/Gyrus: 8, 19, 42: «patena aurea, quam in giro et medio gemmis decoravit».

Gladius: 54, 57, 64: «Agarenis fame et gladio interemptis».

Glandula: 35.

Gloria: 3, 4, 6, 39, 63.

Gloriare: 60.

Gramatica: 63: «Nonnullos instituit gramatica inbuendos».

Grandis: 14, 19.

Grassare: 54.

Gratia: 29, 58, 62.

Gratus: 65.

Gravis: 35.

Gremium: 2.

Grex: 63.

Habere: 65: «habito cum suis germanis consilio».

Habitare: 10, 20, 66.

Habitator: 35, 54.

Habitus: 36, 49.

Heiulare: 43.

Heresiarcha: 45.

Heresis: 3.

Hereticus: 45, 49.

Hilico: 36: «Data hilico oratione».

Historia: 63: «evangelicam in eis depingens historiam».

Holus: 66.

Homo: 2, 35, 42, 57, 58: «iusto iudicio hominibus absque misericordia traditus sum... nec a Romana sede nec ab aliis hominibus condemnatio», 63: «si homines silent, ipsi etiam lapides clamabunt», 65: «instinctu malorum hominum... solve hominem per quem omnis patria pacificata manebat».

Honor: 2, 3, 31, 41, 42, 45, 50, 52, 56, 63, 66.

Honorifice: 42, 63: «honorifice susceptus honorificentiusque consecratus».

Horna: 31: «cum duocentas decem vini hornas perennis temporibus».

Horrescere: 55: «ceteros vero qualiter consumpserit, horresco referens».

Horreum: 46.

Horribilis: 60.

Hortus: 63, 66.

Hospes: 42: «multis terris et hospitibus donatis», 50: «quas hospitibus peregrinisque censuit habitari».

Hostis: 48, 51, 57.

Humanitas: 56, 58.

Humanus: 29, 56, 63.

Humare: 6, 10.

Humiliare: 60.

Humilis: 52.

Humiliter: 66.

Iacere: 4, 59.

Iaculare: 60.

Ianua: 25.

Idoneus: 52.

Ieiunium: 35, 66.

Ignarus: 63.

Ignis: 42.

Ignorare: 60.

Illecebra: 56: «non, sicut illa ętas assolet, mundi secutus est illecebras».

Illicere: 54: «spe vana illectus».

Illudere: 52, 54, 57.

Imago: 41, 45.

Imbuere: 42, 56, 63.

Imminere: 58.

Immobilis: 63.

Impavidus: 54.

Impendere: 58, 59.

Imperare: 60, 65.

Imperator: 3, 6, 24, 28, 29, 31, 34, 35, 39, 41, 43, 45, 51, 54, 61, 62, 64, 65.

Imperatrix: 47.

Imperium: 9.

Imperpetuum: 62.

Impertire: 63: «ubertatem doctrinę, quam in pueritia suxerat, coepit affluenter impertiri».

Impetrare: 36, 39.

Impetum: 53.

Impietas: 45.

Impius: 53.

Implorare: 58.

Imputare: 46.

Inbuere: 63.

Incendium: 16, 54.

Incipere: 46.

Inclinare: 54.

Incolere: 10.

Incolumis: 36, 65.

Increpare: 59.

Incurrere: 55.

Incursio: 2.

Indere: 63: «de illo suę clementię signum pręcordiis humanis indiderat».

Indesinenter: 2.

Indigere: 63.

Induere: 46.

Ineffabilis: 42.

Ineptus: 46.

Iners: 42.

Infamare: 52: «nonnulli, qui sibi ipsum appetebant honorem, adeo illudendo eum infamarunt, ut etiam apostolicas pervenisset ad aures».

Infamatio: 56: «populi infamationem».

Infectus: 42.

Infensus: 43: «Desiderio Langobardorum rege Romane sedi infenso».

Inferi: 42: «qui deducit ad inferos tribulationis et reducit», 58: «deducit ad inferos tribulationis et reducit».

Infidus: 57.

Infimus: 56.

Infirmare: 59.

Infirmitas: 51, 62.

Infiscari: 56: «dux valde iratus, dixit, eundem iugulare Tiberium et totius episcopii servos possessionesque infiscari».

Infula: 41, 59.

Infundere: 42.

Ingenium: 59, 66: «vir altioris ingenii».

Ingerere: 63, 65.

Ingravescere: 35.

Ingredere: 25, 56, 58: «permisit presentem filium meum domnum Iohannem nostram ingredere sedem».

Ingredi: 39, 64.

Ingressus: 42, 46.

Ingruere: 57.

Inguinaria: 42.

Inhumanitas: 65.

Inicere: 55.

Inimicitia: 10, 57.

Inimicus: 48, 57.

Iniquitas: 10.

Iniquus: 48.

Inire: 2: «Ab ineunte aetate sua strenuus... Ab ineunte aetate sua strenuus», 41, 57: «infido cum illo quasi ad tempus inito foedere... inito consilio».

Initium: 19, 56.

Iniuria: 65.

Inlustris: 11.

Inmemor: 11, 65.

Innocuus: 55.

Innumerabilis: 57.

Inormis: 42: «cereus sanctus inormi mensura».

Insepultus: 35.

Insignis: 42, 62.

Insinuare: 65.

Insistere: 35.

Instantia: 35.

Instar: 42.

Instigare: 43.

Instinctus: 51, 65.

Instituere: 10, 31, 39, 63.

Institutio: 63.

Insula: 35, 65.

Insurgere: 65.

Intercludere: 56: «cuius sensus propter ętatem adhuc intercluditur».

Inthronizare: 59: «obnixius Iohannem electum inthronizari postulavit», 63: «Inthronizatus ergo, ubertatem doctrinę, quam in pueritia suxerat, coepit affluenter impertiri».

Intolerabilis: 35.

Intrare: 36.

Intrinsecus: 46, 63.

Introducere: 41.

Introire: 2, 39, 41.

Introitus: 64: «Huius autem adventui omnium circumquaque urbium patuit introitus».

Intuere: 6.

Inultus: 53.

Invadere: 36, 56, 59.

Invasor: 56.

Invenire: 36, 42.

Inventio: 29.

Investigare: 52, 59.

Investire: 19: «cyburi desuper investivit argento. Fecit fara argentea et arcus quattuor investitos argento».

Invicem: 35.

Invidia: 52, 53.

Ira: 55, 65.

Iratus: 42, 53, 56, 60.

Irridere: 56.

Irrogare: 53.

Irruere: 47, 57.

Irruptio: 57.

Iter: 11.

Itinerare: 65.

Iubere: 25, 56, 60, 63.

Iudex: 53, 55.

Iudicium: 4, 42, 58, 60, 65.

Iugiter: 55.

Iugulare: 56.

Iugum: 64: «non eos a paganissimo iugo liberaret oppręssos».

Iungere: 53.

Iunior: 43, 66.

Iurare: 56.

Ius: 50.

Iusiurandum: 56, 59, 60.

Iuste: 56.

Iustus: 53, 55, 58, 59.

Iuvenis: 59, 61.

Iuventus: 56.

Karissimus: 58.

Labare: 31: «pro labandis curis».

Labia: 59.

Labor: 59.

Laborare: 63, 65.

Labsus: 16: «absidam ecclesię Stephaniae labsam ex incendio reformavit».

Lacrima: 35, 45, 65.

Lacrimatio: 42.

Lacus: 57.

Laicus: 42, 46, 59.

Languere: 51.

Languidus: 41.

Lapis: 29, 42, 63.

Largire: 31: «perennis temporibus per uniuscuiusque successionem annualiter largiri».

Largitio: 63.

Later: 42.

Latere: 58.

Latibulum: 60.

Latitare: 60.

Latrocinari: 60.

Laudabilis: 42.

Laudare: 58, 63.

Laus: 10, 54, 56, 59.

Lector: 46, 63.

Lectulum: 58.

Legatio: 43, 59.

Legatus: 41, 53, 57.

Legere: 6, 42.

Leo: 39: «leonem ferocissimam bestiam pugnando occidit».

Lepra: 3.

Lęsus: 48.

Lętalis: 51, 53.

Lętare: 41, 46, 60.

Lętificare: 42.

Levare: 57, 59.

Levita: 11, 16, 41, 42.

Levitalis: 41, 63.

Levus: 2, 25.

Libens: 57.

Libenter: 2.

Liberalis: 49, 56.

Liberare: 54, 64.

Liberatio: 64.

Libere: 3.

Libra: 63.

Licentia: 3, 56.

Lictor: 55.

Ligare: 54.

Lignum: 29.

Lilium: 4: «Ezechias proferens manibus rosas et lilias... in liliis perseverantia confessionis exprimitur».

Linea: 16.

Lingua: 52, 59.

Listus: 63: «velamen cum auro et gemmis atque listis ornatum».

Litoreus: 60.

Miliarium: 11.

Militare: 2.

Minari: 60: «Caietanam urbem capere minabantur».

Minimum: 2.

Ministerium: 63.

Ministrare: 2.

Minor: 9: «Theodosius minor», 19: «Fecit baptisterium fontis minoris... Iustini minoris».

Mirabilis: 2, 42, 66.

Miraculum: 2.

Mirifice: 4, 42.

Mirificus: 16.

Mirus: 42: «ecclesiam sancti Petri miris exornatam construxit operibus», 63.

Miser: 43: «Unde postea miser, perdito regno, in exilio vitam finivit».

Miseria: 57: «de lacu miserię et tenebrarum».

Misericordia: 56, 58: «hominibus absque misericordia traditus sum... quia magis misericordia meę consolationis quam presumptione motus», 60.

Misericorditer: 56.

Missa: 41, 42, 43, 59, 63, 66.

Missus: 52: «missi Romani venientes».

Mitis: 2.

Mittere: 36.

Moderatus: 2.

Modicum: 2: «quia in modico fidelis fuisti», 11, 64: «ut saltem in modico non amaricaretur ab eius potestate».

Modium: 31.

Modum: 35.

Molere: 57.

Moles: 58: «peccatorum mole depressus».

Moliens: 60.

Monachus: 63, 65.

Monasterium: 11, 42: «in monasterium sancti Benedicti Paulo lęvitę destinavit... intra eandem urbem tria fecit monasteria, quę ad nomen sancti Festi... Addidit etiam in sancti Gaudiosi monasterio basilicam sanctę Fortunatę», 45-47, 49, 50, 52, 65.

Monere: 10.

Monile: 42: «prętiosa monilia et magna opera memorantes, vilia dimittamus».

Monita: 55.

Mons: 3, 11, 65.

Morari: 55, 65.

Mori: 6, 58, 60, 64, 65.

Mors: 2, 11, 35, 36, 42, 43, 46: «Lętati estis de morte genitoris mei... pręventus morte domnus Stephanus non illud dedicavit», 51, 57, 64.

Mos: 42, 50, 56.

Movere: 58, 60, 64.

Multitudo: 39, 60, 65.

Mundum: 56.

Municeps: 62: «municipem suum in cęlis suscepit».

Munire: 39, 63.

Munus: 2, 53, 63.

Musivum: 4, 16.

Mutuo: 35: «suaque scelera mutuo confitentes».

Nancisci: 36: «a Grecorum pontifice archiepiscopatum nancisceretur».

Narrare: 46.

Nasci: 35.

Nativitas: 4, 31: «bis in anno, nativitatis et resurrectionis Domini anni circulum exsequendum... in nativitate Domini», 54.

Naufragium: 60.

Navigium: 60: «cum navigiis Neapolitanorum».

Navis: 54, 60: «multorum naves Saracenorum... naves ad terram subducerent... ne navibus allisis terram caperent».

Necator: 55.

Nectar: 63.

Negotiator: 39.

Negotiium: 63.

Nemo: 46, 59.

Neophitus: 6.

Nepos: 53, 65, 66.

Neptis: 52.

Nequire: 42, 46.

Nex: 54, 56.

Nimio: 66.

Nobilis: 56, 63.

Nobilitas: 56.

Noctis: 41, 42.

Noctu: 2.

Nomen: 2: «Probus episcopus. Omni probitate conspicuus, nominis sui operibus copulans... Fortunatus episcopus... ab ecclesia sui nominis consecrata transferentes», 4, 11: «ad nomen beati Stephani lęvitae... ad nomen beatę Eufimię martyris dedicavit», 12: «fecit basilicam ad nomen Salvatoris, copulatam cum episcopio, quae usitato nomine Stephania vocatur», 14, 19, 31: «fecit basilicam intus civitatem Neapolim ad nomen sancti Ianuarii martyris in cuius honorem nominis diaconiam instituit», 42: «Iohannes nomine... in omnibus suo nomine... ad nomen sancti Festi et sancti Pantaleonis martyrum sanctique Gaudiosi confessoris prętitulavit... ecclesia Salvatoris, quę de nomine sui auctoris Stephania vocitatur», 53, 59, 62, 63: «ex quibus una nomen Sergii exaratum habebat... quod ipsius et uxoris eius Drusu continet nomen».

Nominare: 44, 54.

Nomisma: 39.

Noscere: 35, 55, 56.

Novacula: 39: «loricam falcatam, quem novaculis acutissimis ex omni parte munivit».

Nuncupare: 10.

Nuntiare: 60.

Nutus: 56.

Nux: 35.

Obferre: 42, 63: «multis terris oblatis... oblatis suae largitionis muneribus sueque».

Obire: 42, 55.

Oblitus: 35: «suorum unusquisque oblita plangebat».

Obnixius: 59: «obnixius Iohannem electum inthronizari postulavit».

Oboedientia: 56.

Obsecrare: 56.

Obsidere: 39: «una cum ipsis civitas obsessa est... Constanter autem obsidentibus urbem», 53, 54, 57, 65.

Obsidio: 65.

Obsistere: 55, 60.

Obstaculum: 41.

Obstinatio: 65.

Obstinatus: 46.

Obtinere: 64.

Obviam: 65.

Occasio: 46,

Occidere: 39, 57, 60.

Occupatus: 51.

Occurrere: 11, 41, 51, 65.

Ocius: 66.

Oculus: 16, 48: «cuius cum vellent oculos eruere, inter ipsos tumultus, sicut assolet fieri, unus ei oculus paululum est lęsus».

Offerre: 25, 56, 63: «quos in ecclesiarum ornamentis maluit offerre... offerens ibidem terras... offerens eis unum hortum».

Offertio: 4.

Officialiter: 62.

Officium: 41, 46, 52, 56, 63.

Oliva: 4.

Omittere: 55.

Omnipotens: 41, 42, 63.

Omnipotentia: 60.

Onus: 56.

Opera: 42.

Operare: 42, 59.

Operatio: 4, 16.

Passio: 4.

Pastor: 41, 42, 46, 62, 63, 65.

Patena: 42, 63.

Pater: 3: «Nicenumque concilium trecentorum decem et octo patrum», 42: «patris interitum mors subsequeretur filiorum... sex patrum sanctorum depinxit concilia... cor tanti patris lętificare dignatus est», 59, 63-65.

Patere: 52, 64, 65.

Paternus: 63: «paterno affectu in tantum eum diligeret».

Patientia: 56.

Patria: 2: «Amator patrie», 63: «ad cęlestem patriam», 65: «solve hominem per quem omnis patria pacificata manebat».

Patriarcha: 45, 45, 49.

Patricius: 54.

Patrocinium: 2.

Pauci: 54: «Symeon spatharius cum paucis sunt exinde liberati».

Paucissimi: 60: «paucissimi ex eis ad sedes remearunt suas».

Paucus: 63: «in paucis diebus Romam properavit... in ecclesiarum ornamentis maluit offerre. Ex argento igitur non pauca vasa in ipsa fecit ecclesia».

Pauper: 2, 56: «novit Dominum ab initio pauperum egenorumque consortio usum... pauperem cucurrit pueritiam».

Paupertas: 63.

Pavere: 60.

Pavo: 42.

Pavor: 57.

Pax: 4, 35, 36, 53: «eidem duci pacem petenti suos transmisit legatos... cupiens desideratam pacem sancire», 57, 62.

Peccatum: 55, 58, 63.

Pectus: 43, 56.

Pelagus: 60.

Pellere: 57: «Leonem post sex mensum dies socer eius Andreas pepulit».

Pendere: 29: «vivifici ligni, in quo Dominus noster pependi pro salute generis humani», 63.

Pene: 41, 51, 63.

Penes: 35: «Ingravescente siquidem tali pestilentia, ut de die in die penes consumerentur».

Pęnitus: 66: «Romanam provinciam pęnitus dissipabant».

Penuria: 66.

Peragere: 42, 55, 58, 60.

Percellere: 54, 66.

Percipere: 56.

Percutere: 54, 57, 60.

Perdere: 35, 43.

Perditio: 55.

Perducere: 65.

Perdurare: 4.

Perdux: 11, 65.

Peregrinatio: 65.

Peregrinus: 50.

Peremere: 39, 47, 51, 53, 57: «peremptum a suis concivibus... peremptus est Andreas dux», 60.

Perennis: 31.

Perfundere: 63.

Pergere: 41, 46, 57.

Periclitari: 59.

Periculosus: 47.

Periculum: 39, 56.

Perimere: 39.

Permanere: 43.

Permissus: 54.

Permittere: 53, 58.

Pernicies: 60.

Perpeti: 43.

Perpetuus: 4, 53, 54.

Persequere: 57, 60: «usque Caietam sunt persecuti... nullatenus a persequendo recedebant».

Perseverantia: 4.

Perseverare: 56.

Persolvere: 54.

Perstringere: 35.

Perterritus: 49, 57, 60.

Pertinere: 55.

Pes: 56: «Pedes quoque eius raro platea tetigit».

Pessimus: 53.

Pestilentia: 35: «gravi pestilentia exorta est... Ingravescente siquidem tali pestilentia».

Pestis: 66: «Qua peste omnes accolę nimio terrore perculsi... missarum sollemnia pro tali peste illic communiter celebrarent».

Petere: 2, 53, 54: «Euthimius Africam cum uxore et filiis petens... claustra eiusdem petierunt civitatis», 60, 65.

Petitio: 42, 59.

Piaculum: 58.

Pictilis: 63.

Pictura: 50.

Pie: 56.

Pietas: 35, 42.

Pius: 10, 43, 59, 65.

Placabilis: 16.

Placere: 52.

Placidus: 2.

Plaga: 35.

Plane: 62.

Plangere: 35.

Platea: 56.

Plebs: 2: «plebi Dei sanctissimus prefuit».

Plenus: 6.

Plevs: 10: «plevem post Sanctum Severum secundus instituit».

Pluralitas: 54.

Plures: 59.

Plurimus: 2, 42: «cum plurimis acquisivit hominibus... plurimis rebus oblatis», 63, 65: «plurimi Franci... plurima cede Saracenos prostrantes».

Poena: 43.

Pompa: 6.

Ponere: 19, 39, 46, 52, 57, 58, 63.

Pontifex: 2, 8, 11, 16, 36: «post decessum pontificis... Sergium eligerunt pontificem... dum a Grecorum pontifice archiepiscopatum nancisceretur», 41, 42, 59, 65.

Pontificalis: 46, 55, 58, 59: «ne pontificalem subriperet sedem... pontificali infula decoravit».

Pontificatus: 56.

Popularis: 46.

Populus: 2: «populos ad viam salutis cotidie evocaret... populi devotio exequentes... populi, patrocinia eius petentes», 11, 41: «tunc Parthenopensis populus potestati Gręcorum favebat... clerus omnis et populus cunctus canonice illi ut vero optemperabant pastori... omni populo exhortato», 42: «apostolicus tantam populi devotionem in eum cerneret... totius populi forti roboratus adiutorio», 52, 56-58, 60: «in multitudine populorum... ferocem contra eos populum misit», 62, 63: «Populus cunctus amabat eum... huius electionem e vestigio cunctus acclamavit populus».

Porricere: 42.

Portare: 58.

Porticus: 8, 11, 41.

Portio: 29.

Portus: 60.

Possessio: 56.

Possidere: 47, 52.

Posterum: 53, 56.

Postremum: 47, 54.

Postulare: 42, 59.

Potestas: 41, 43, 58, 64.

Potissimum: 56.

Praevius: 36.

Prebere: 56: «ut illis electum pręberet... licet ad periculum capitis mei prebebo consensum», 66.

Precare: 46.

Pręcepire: 58, 65.

Preceptio: 57.

Pręceptum: 11, 44, 50, 53, 56.

136

Precinctus: 54.

Pręclarus: 56.

Pręcordia: 63.

Pręcursor: 19.

Pręda: 11.

Pręcedessor: 2, 59.

Predestinare: 63.

Predicare: 65.

Pręcicere: 10, 11, 36.

Pręcictus: 11.

Pręcitus: 10.

Pręcesse: 59.

Pręfacere: 49, 57.

Prefatus: 66.

Prefigurare: 4.

Pręfulgidus: 19.

Pręlibare: 62.

Pręmittere: 57.

Prenuntiatus: 41.

Pręparatio: 63.

Presbyter: 11: «venerabilis presbyter Lucillus... Marciano venerabili presbytero», 36, 42.

Pręscriptus: 53.

Presens: 45, 58.

Pręsentare: 63.

Presertim: 56, 65.

Pręsul: 42, 45, 53, 56: «Pręsule meo vivo, non ero sedis invasor... formidans de pręsulis nece», 63, 65, 66: «nepos videlicet prefati Athenasii presulis... germanus predicti presulis».

Presumptio: 58.

Pręciosissimus: 44.

Pretiosus: 4, 29, 42.

Pręcitulare: 42: «velamina, quę auro gemmisque studuit decorare, figurato tamen vultu et pręcitulato in omnibus suo nomine... tria fecit monasteria, quę ad nomen sancti Festi et sancti Pantaleonis martyrum sanctique Gaudiosi confessoris pręcitulavit».

Pręcorium: 52.

Pręvalere: 64.

Pręvenire: 46.

Previdere: 63.

Prex: 42, 60, 65, 66.

Primas: 41: «Neapolitanorum primates».

Princeps/princips: 44, 51, 53, 57: «Sichardus Beneventanorum princeps... Sichenolfum Salernitanum principem», 61: «principumque Langobardorum... ordinans divisionem Beneventani et Salernitani principum».

Principatus: 57.

Pristinus: 45, 64.

Privare: 47, 53.

Privilegium: 43.

Probitas: 2.

Procella: 60.

Procerus: 42: «duasque procero cacumine turres».

Procreare: 56.

Producere: 56, 65.

Proferre: 4, 46.

Professio: 58, 59.

Proficere: 63.

Proficiscere: 48.

Proficuus: 57.

Profiteri: 59.

Profundere: 65.

Prolixitas: 42.

Prolongare: 55.

Promiscuus: 29: «omnes promiscui sexus confluunt».

Promissio: 48, 56.

Promittere: 39: «promittens eos, dum in palatio introiret, omnes colligere et aureos solidos ad corii solidos commutare... promissum, quod de solidos fecerat, explevit», 57.

Promotio: 42.

Promovere: 46, 56.

Propagare: 56: «ob laudem eius posteris propagandam».

Propellere: 53.

Properare: 43, 60, 63, 65.

Propheta: 4.

Propitius: 10.

Propugnator: 60.

Prosapia: 56.

Prosequi: 6.

Prospere: 36.

Prosperus: 2.

Prostrare: 65.

Protectio: 60.

Protector: 65.

Protegere: 60.

Protelari: 57.

Protomartyr: 45, 54.

Protospatharius: 50.

Provenire: 11.

Proventum: 58.

Providus: 42, 63.

Provincia: 35, 39: «ex diversis provinciis», 47, 54, 66.

Proximus: 35: «ut proximum sepelire vellet».

Prudens: 2.

Prudentia: 56, 66.

Puer: 41.

Pueritia: 56, 63: «ab ipso pueritię suę tempore... ubertatem doctrinę, quam in pueritia suxerat».

Puerulus: 42, 51.

Pugnare: 39.

Pulcher: 2: «Pulcher corpore, pulchrior mente», 50: «ecclesiam, quam pulcriori decoravit pictura».

Puplica: 63.

Puppis: 60: «tempestivam excitavit procellam in puppes tantę supervię».

Quęsere: 49, 56.

Quiescere: 2, 6, 10, 11, 39, 41, 42.

Quietis: 42, 56.

Quintana: 52: «Iste quoque altarium sanctę Stephanię ex ęneis circumcinxit quintanis».

Raro: 56: «Pedes quoque eius raro platea tetigi».

Rarus: 42: «ad sepeliendum rarus superstes inveniretur».

Ratio: 64.

Ratis: 60.

Rebellare: 54: «Adversus hunc Michahelium Syracusani cuiusdam Euthimii factione rebellantes».

Recedere: 60, 65.

Recensere: 63.

Recepere/recipere: 36: «Si Domino annuente prospere recepturus castrum advenero... Abierunt ipsumque castrum intrantes receperunt», 39, 41, 55, 65.

Recludere: 29, 65.

Recondere: 2.

Rectus: 6, 56: «rectę nobilitatis est, quę viget in Christo».

Reddere: 54: «reddidit illi secundum adinventionem suam... victores reddidit Gręcos», 57, 59, 64, 65: «redde nobis pontificem... quod nullatenus pro tanta inhumanitate, quam ei ingesserant, redderet eis meritum».

Redditor: 53.

Redditus: 60.

Redemptus: 63.

Redire: 3, 42.

Reducere: 42, 58.

Referre: 10, 46, 54-56, 58, 63.

Refertus: 35.

Reformare: 16.

Regere: 42, 46, 55, 64.

Regimen: 63.

Regio: 11, 31, 46, 54, 60, 64, 65.

Regiolum: 63: «altare cum regiolis argenteis».

Regnare: 10.

Regnum: 2: «regna cęlorum», 4: «regnum cęlorum», 43: «vitam cum regno crudeli morte amisit... perdito regno, in exilio vitam finivit», 54.

Regularis: 42: «regulari promotione episcopum consecravit... regulares virgines, plurimis rebus oblatis, sub abbatissę disciplinis statuit».

Religare: 53, 55.

Religiosius: 45: «in honore pristino religiosius venerentur».

Religiosus: 46: «Eupraxia religiosa femina».

Relinquere: 35: «reliquebantur domos absque habitatoribus... cum omni instantia qui reliquebantur», 39, 46, 59.

Reliquia: 46, 50.

Remanere: 35.

Remeare: 60.

Reniti: 46: «cum reniti nemo auderet».

Rennuere: 42.

Renovare: 42, 63.

Repausatio: 63.

Repedare: 42, 52, 57: «repedantibus ipsis Saracenis... repedare contempsit», 60, 63, 65.

Reperire: 39, 52, 60.

Reponere: 53.

Requiescere: 4, 6, 8, 62.

Rescire: 57.

Residere: 11, 25, 45, 58.

Resistere: 49, 54.

Respectus: 45, 56.

Respondere: 41.

Resurrectio: 31, 42.

Retexere: 55.

Retinere: 10, 56.

Reverentia: 43.

Reveri: 11, 59.

Revertere: 36, 45, 46, 54, 57, 61, 65.

Revocare: 48, 64.

Rex: 10, 43, 48, 60, 61, 64.

Ripa: 10.

Roborare: 42: «totius populi forti roboratus adiutorio, eandem renovavit ecclesiam».

Robustior: 39: «Hunc aiunt Constantinum robustiorem fuisse virum».

Rogatus: 11: «ex rogatu inlustris femine Barbariae».

Rogus: 57: «per rogum huius electi levavit Tiberium episcopum de lacu miserię».

Romanus: 11, 42, 43, 45, 58, 66.

Romuleus: 46, 50, 59.

Rosa: 4: «rosas et lilias... in rosis sanguis martyrum».

Sacer: 2, 42: «sacro Romanorum ordine imbuti... quę in eodem sacro operatus est episcopio», 46, 50, 63.

Sacerdos: 2, 36, 63, 65.

Sacramentum: 65: «tali sacramento constrictum... sub sacramento districtum».

Sagaciter: 61.

Sagax: 56: «verum etiam sagacioribus oneri fuerat».

Salus: 2, 29, 55.

Salutiferus: 66.

Salvator: 4, 12, 42, 60, 63, 65.

Salvus: 65.

Sancire: 31, 45, 53, 56.

Sancta: 2, 3, 11, 14, 16, 29, 42, 45, 46, 49, 52, 55, 63.

Sanctissimus: 2.

Sanctitas: 2, 10, 62.

Sanctus: 3, 4, 6, 8, 10, 11, 31, 39, 41, 42, 44-46, 50-52, 54, 57-59, 62, 63, 65.

Sanguis: 4, 63.

Sapo: 31.

Satagere: 65.

Satisfactio: 59.

Scalpere: 42: «ex auro mirifice scalpta», 63.

Scelus: 35, 65.

Scire: 56, 58.

Scola: 42, 63.

Scribere: 4, 42, 46, 55, 56, 63: «ad scribendi officium».

Scribo: 56: «ab omnibus Iohannes Scribo vocaretur».

Seci: 56: «non, sicut illa ętas assolet, mundi secutus est illecebras».

Sęcularis: 63.

Sęculum: 45, 56, 58, 63.

Sedere: 4, 6, 8-12, 14, 16, 19, 21-31, 34-36, 38, 39, 41, 42, 46, 52, 56, 63, 66.

Sedis: 6, 11, 16, 42, 43, 45, 46, 48, 56, 58-60, 65.

Seditio: 50.

Sedole: 10.

Sedulus: 62.

Seges: 53, 66.

Segregatim: 65.

Senex: 59.

Senior: 57, 65.

Sensus: 56.

Sententia: 56.

Sentire: 62.

Separare: 10.

Sepelire: 2, 6, 8, 11, 35, 41, 42: «ad sepeliendum rarus superstes inveniretur... ubi ipsa prius voluit sepeliri», 45, 51, 58, 65.

Sepulcrum: 59.

Sequax: 3.

Sequi: 2, 65.

Serenitas: 60: «acceptaque serenitate ad sua repedarent... Quo peracto et serenitate reddita, ire coeperunt».

Series: 44.

Sermo: 58.

Serpens: 56.

Servus: 2, 50, 56, 65.

Severitas: 6.

Sexus: 29, 41, 62.

Signifer: 60.

Signum: 2, 63.

Silere: 63: «si homines silent, ipsi etiam lapides clamabunt».

Siliqua: 31.

Simillimus: 54.

Simplicitas: 56: «Simplicitatem columbę cum serpentis prudentia semper in corde retinuit... In corde vero illius eadem patientia, eadem perseverabat simplicitas».

Simulare: 36, 53.

Sinere: 53.

Singillatim: 54, 59.

Singulus: 63: «mirum in modum certatim a singulis laudabatur... et nobis est longum ire per singula».

Sinistra: 11, 25.

Sinodalis: 45.

Sinus: 64.

Situs: 8, 63, 65, 66.

Socer: 57.

Socius: 63.

Sodalis: 41.

Solacium: 58.

Solarium: 42.

Solidus: 39, 54.

Solito: 42.

Solitus: 60.

Solium: 58.

Sollemnis: 41, 42, 66.

Sollemnitas: 54.

Solum: 65, 66.

Solummodo: 64.

Solus: 39, 56.

Solutio: 62.

Solvere: 65.

Sopire: 57.

Spanoclastum: 42: «fecit crucem auream; mirabili fabrefactam opere, quod spanoclastum et antipenton vocitatur».

Spatharius: 49, 54.

Spatium: 11, 41, 62, 65.

Specialis: 66.

Speculatio: 63.

Spernere: 10, 43, 55.

Spes: 35: «habebat spem vivendi... perdita spe», 54.

Spica: 4.

Spiritus: 41, 65.

Spondere: 48.

Sponsio: 57.

Sponte: 58.

Stabilire: 36.

Stadium: 2: «sepultus foris urbem quasi ad stadia quattuor».

Statim: 41, 43, 48, 54.

Traditio: 45.

Trahere: 65.

Trames: 41.

Transferre: 2, 11.

Transfiguratio: 16.

Transigere: 35, 62.

Transilire: 4.

Translare: 2: «in ecclesia Stephania translati esse videntur... in ecclesia Stephania translatus... conditus est atque translatus... post quorundam incursionibus translatus deductusque Neapolim», 10.

Transmigratio: 11.

Transmittere: 41, 53.

Tremor: 35.

Tribuere: 31, 35.

Tribulatio: 42, 58: «deducit ad inferos tribulationis et reducit... quatenus haberem maxime tribulationis solacium».

Tribunal: 54.

Tributum: 54.

Triclineum: 41.

Triduum: 6, 35: «ita ut in triduo extingueretur; sin vero aliquis triduo transigisset, habebat spem vivendi».

Tristis: 42, 65.

Triticum: 31.

Triumphare: 60, 61.

Triumphus: 60, 65.

Trucidare: 57.

Tumultus: 48.

Tumulum: 59.

Turba: 2.

Turpissimus: 57.

Turris: 4, 42, 46.

Tutor: 63.

Ubertas: 63: «ubertatem doctrinę, quam in pueritia suxerat».

Ultimus: 19, 55, 56, 58.

Ultio: 11, 48.

Ululatus: 65.

Unanimis: 57.

Universa: 39.

Universi: 39.

Urbs: 2-4, 6, 8, 11, 14, 39, 41, 42, 48, 53, 54, 60, 64: «ut multarum urbium atque castrorum cotidianum fieret excidium... Huius autem adventui omnium circumquaque urbium patuit introitus», 65.

Usitatus: 12.

Uti: 56, 63.

Utilis: 59.

Utilius: 46: «utilius est veritatem proferre».

Uva: 4.

Uxor: 42, 46, 52, 54, 57, 63.

Vacare: 56.

Valere: 49, 53, 54, 58, 59.

Validissime: 60.

Validissimus: 57.

Validus: 64.

Valneus: 8: «Hic fecit valneum in urbe et alia in gyro aedificia, qui usque hodie Nostriani valneus vocatur».

Vanus: 54, 56.

Vasculum: 63.

Vastitas: 60.

Vasum: 63.

Vaticinium: 11.

Velamen: 42, 63: «Supra quod velamen cooperuit... quattuor velamina optulit... cooperuit velamen cum auro et gemmis atque listis ornatum».

Venenatus: 52: «tanto venenatas susurronum patitur linguas».

Venerabilis: 11, 41.

Venerare: 45, 63.

Veneratio: 29, 58.

Venia: 36, 39, 58.

Verbositas: 55: «lictorum verbositates magis attendebat».

Verbum: 10: «verbis cęlestibus monuit. Quibus pia verba spernentibus».

Verissime: 63.

Veritas: 46, 57, 58.

Versus: 42.

Vertere: 41: «cum quodam die vicissim sodalia verterentur colloquia... quę inter apostolici tramitis auctoritatem et fedissimam Constantini imperatoris Caballini vertebatur amentiam», 46, 60, 65.

Verum: 56.

Vesanus: 57.

Vestigium: 48, 60, 63.

Vestire: 42.

Vexare: 54.

Via: 2: «ad viam salutis cotidie evocaret».

Vicinus: 54: «in sancti Stephani protomartyris vicina sollemnitate».

Vicissim: 35, 41.

Victor: 54: «victores reddidit Gręcos», 61: «victor reversus est».

Victoria: 60, 64.

Victoriosissimus: 65.

Victus: 42: «Ad clericorum itaque victum».

Vidua: 65.

Vigere: 56.

Vigilia: 54.

Vilis: 42: «prętiosa monilia et magna opera memorantes, vilia dimittamus».

Vindicta: 54.

Vinum: 31.

Vir: 39, 48, 49, 62, 66.

Virginitas: 4.

Virgo: 2: «beate Dei genetricis semperque virginis Marię», 14: «sancte Dei genetricis semperque virginis Mariae», 42: «in quibus regulares virgines, plurimis rebus oblatis, sub abbatissę disciplinis statuit».

Viriliter: 60.

Virtus: 4: «Hieremias per uvarum offertionem virtutem Christi et gloriam passionis prefiguratur, cum dicitur: "In virtute tua"», 10, 52.

Vis: 55, 56, 60, 62: «vi infirmitatis detentus», 65: «vi febrium».

Visitare: 11.

Vita: 2, 6, 10, 11, 42, 43, 45, 47, 49, 56: «Si enim huius vitam vel mores... de vite illius actibus aliquantulum enarrare curamus».

Vitare: 46.

Vivens: 55: «in cuius manu sunt omnium corda viventium».

Vivificus: 29: «ex portione vivifici ligni».

Vivus: 43, 56, 58.

Vocabulum: 10, 63.

Vocare: 4, 8, 12, 42, 56, 57.

Vociferare: 35.

Vocitare: 42: «quod spanoclastum et antipenton vocitatur... ecclesia Salvatoris, quę de nomine sui auctoris Stephania vocitatur».

Voluntarie: 59.

Votus: 36: «dux ille praevius votum devovit... prędicentis votus completus est», 52.

Vulnus: 35.

Vultus: 42, 46, 63.

Xenodochium: 63.

Yconomichus: 49: «spatharius yconomichus».

INDICE DEI NOMI

Costantino (III), imperatore, figlio dell'imperatore Eraclio: 27.
Costantino (IV), imperatore: 31.
Costantino (V), imperatore: 36, 38, 39, 41, 43.
Costantino (VI), imperatore: 45, 47, 54.
Costantino, patriarca di Costantinopoli: 45.
Costantinopoli: 49, 54.
Cristo: 2-4, 6, 8, 10, 16, 31, 41, 56, 62, 64.
Cuma: 36, 57.

Damaso, papa: 4, 6.
Daniele, profeta: 4.
Danubio: 10, 11.
Demetrio, vescovo di Napoli: 22.
Deodato, papa: 25.
Desiderio, re dei Longobardi: 43.
Dono, papa: 31.
Drusu, moglie del duca di Napoli Sergio: 63.

Efebo, vescovo di Napoli: 2, 6.
Epitimito, vescovo di Napoli: 2.
Eracleona, imperatore, figlio dell'imperatore Eraclio: 27.
Eraclio, imperatore: 25-27.
Eufemia, basilica di santa: 11.
Eugenio, papa: 29.
Eugenio (II), papa: 55.
Euprassia, badessa napoletana: 46.
Euprassia, moglie del duca Teofilatto: 46.
Euprassia, figlia del duca di Napoli Andrea, moglie del duca di Napoli Leone, moglie del comandante franco Contardo: 57.
Euprassia, moglie di Marino, madre del duca di Napoli Sergio: 57.
Eusebio, vescovo di Napoli: 28.
Eustazio, vescovo di Napoli: 2.
Eutiche, santo: 42.
Eutimio, ribelle siracusano: 54.
Ezechia, profeta: 4.

Federico: 11, nipote di Ferderuco.
Feleteo, detto anche Feva, re dei Rugi:10.
Felice, papa: 4.
Felice (III), papa: 10.

Felice (IV), papa: 14.
Felice, vescovo di Napoli: 9.
Fenice: 42.
Ferderuco, fratello di Feleteo: 11.
Festo, monastero di san: 42.
Feva, detto anche, vedi Feleteo: 10.
Filippico, imperatore: 35.
Flavio Giuseppe, storico: 63.
Foca, imperatore: 24.
Fortunata, basilica di santa: 42.
Fortunato, chiesa di san, (localizzazione incerta): 2.
Fortunato, chiesa di san, fuori delle mura: 4.
Fortunato, vescovo di Napoli: 2, 6.
Fortunato (II), vescovo di Napoli: 23.
Fotino, eretico: 3.
Franchi: 43, 60, 65.
Francia, 57.

Gaeta: 60.
Gaetani: 60.
Gaudioso, chiesa di san: 8.
Gaudioso, monastero di san: 42.
Gelasio, papa: 11.
Gennaro, san: 6, 63.
Gennaro, chiesa di san, fuori delle mura: 8, 11, 41, 63.
Gennaro, chiesa di san, dentro le mura: 31, 57.
Gennaro, chiesa di san, (localizzazione incerta): 41, 44, 51, 58, 62, 63.
Gennaro, monastero di san: 45.
Geremia, profeta: 4.
Giorgio, chiesa di san, chiamata anche Severiana: 4.
Giovanni, papa: 14.
Giovanni (II), papa: 16.
Giovanni (III), papa: 19.
Giovanni (IV), papa: 27.
Giovanni (V), papa: 31.
Giovanni (VI o VII), papa: 35.
Giovanni ottavo, papa: 66.
Giovanni Niustete, patriarca di Costantino- poli: 45.

Giovanni, vescovo di Napoli: 6.

Giovanni (II), vescovo di Napoli: 16.

Giovanni (III), vescovo di Napoli: 25.

Giovanni (IV), vescovo di Napoli: 56, 58-60, 62, 63.

Giovanni, comandante delle milizie di Napoli: 36.

Giovanni, chierico, diacono, napoletano: 42.

Giovanni, diacono, autore della seconda parte dei *Gesta episcoporum Neapolitanorum*: p. 111.

Giovanni Battista, basilica di san, Roma: 3.

Giovanni Battista, basilica di san, Napoli: 19.

Gisa, moglie del re dei Rugi Feleteo: 10.

Giuliano, santo: 66.

Giuliano, vescovo di Napoli: 34.

Giulio, papa: 4.

Giulitta, monastero di san Ciriaco e santa: 50.

Giustiniano, imperatore: 16, 19.

Giustiniano (II), imperatore: 31, 35.

Giustino, imperatore: 14, 16.

Giustino (II), imperatore: 19.

Graziano, imperatore: 6.

Grazioso, vescovo di Napoli: 27.

Greci: 36, 41, 50, 54.

Gregorio, papa: 23.

Gregorio (II), papa: 36.

Gregorio, patrizio bizantino: 54.

Gregorio (IV): 55, 59.

Gregorio (III), duca di Napoli: 64-66.

Grimoaldo, duca longobardo di Benevento: 36.

Grimoaldo (IV), principe di Benevento: 51.

Ilario, papa: 10.

Ilario, vescovo di Poitiers: 6.

Innocenzo, papa: 8.

Irene, imperatrice: 45, 47, 54.

Ismaeliti: 54, 60, 61, 65.

Italia: 6, 10, 60.

Leone, duca di Napoli: 57.

Leone, papa: 9.

Leone (II), papa: 31.

Leone (III), papa: 48, 50.

Leone (IV), papa: 65.

Leone, imperatore: 10.

Leone (= Leonzio), imperatore: 34, 36?.

Leone (III), imperatore: 36, 38.

Leone (IV), imperatore: 39, 41, 45.

Leone (V), spatario iconomico, imperatore: 49, 54.

Leone Maurunta, chierico, prete, napoletano: 42.

Leonzio, vescovo di Napoli: 29.

Liberio, papa: 4.

Licosa: 60.

Longobardi: 36, 43, 57, 61, 64.

Lorenzo, basilica di san: 16, 57.

Lorenzo, vescovo di Napoli: 35, 36.

Lotario, re dei Franchi, imperatore: 57, 60, 61.

Luca, vescovo di Palermo: 54.

Lucillo, prete, discepolo di san Severino: 11.

Ludovico (II), figlio di Lotario, imperatore: 61, 64, 65.

Marcellino, monastero di san: 52.

Marciano, località situata forse presso Pozzuoli: 6.

Marciano, prete napoletano: 11.

Marco, papa: 4.

Maria, madre di Dio: 4.

Maria, chiesa di santa, detta Cosmidi: 2.

Maria, chiesa di santa, detta Maggiore: 14.

Marino, duca di Amalfi: 65.

Marino, padre del duca di Napoli Sergio, marito di Euprassia: 57.

Maro, vescovo di Napoli: 2.

Martino, papa: 28.

Massimo, vescovo di Napoli: 2.

Maurizio (= Marciano?), imperatore: 9.

Maurizio, imperatore: 22 (Maurizio Tiberio), 23.

Michele, imperatore: 49.

Michele (II), imperatore: 54.

Michele (III), imperatore: 60.

Milziade, papa: 3.

Finito di stampare nel mese di maggio 2018
da Tipografia Monteserra - Vicopisano
per conto di Pisa University Press